はじめに

□ **健康診断で「骨量不足」を指摘された**
□ **整形外科で「骨粗鬆症」と診断された**
□ 背骨の「圧迫骨折」や足のつけ根の「大腿骨近位部骨折」を経験した
□ 手首の「手関節骨折」や「肋骨骨折」を経験した
□ **家族が「大腿骨近位部骨折」を経験した**
□ 背中や腰が曲がっている
□ 背中や腰が慢性的に痛む
□ **若いときと比べて**身長が縮んだ
□ **やせている** □ **喫煙している** □ **毎日飲酒する**

いかがでしょうか。実は当てはまる項目が多いほど、**骨がもろくスカスカで折れやすくなる「骨粗鬆症」の疑いが強い**のはもちろん、**近い将来に骨折する可能性が高い**といえます。該当する人は医療機関で骨粗鬆症の検査を受けるとともに、本書の内容をいち早く実践すべきです。

と、どんなに力強くお伝えしても、あまりピンとこないかもしれません。骨粗鬆症それ自体はさほど痛くもかゆくもないからです。しかし、そうしてなんの対策も講じずに過ごしていると、**骨は日に日に弱くなり、数ヵ月後、あるいは数年後に突然骨折してしまう**のです。どこが骨折するかといえば、**長年の負担が集中しやすい部位**です。特に多いのが、**背骨の圧迫骨折（椎体骨折という）**と、**足（太もも）のつけ根の骨折（大腿骨近位部骨折という）**です。ヒビが入って折れるのも大変ですが、背骨がつぶれるように折れてしまうこともあります。**気づかないうちに骨が折れる「いつのまにか骨折」**になる人もいます。

いずれにしても、骨粗鬆症を伴う骨折で最も怖いのは、骨折による激痛や鈍痛、日常生活の不便さもさることながら、骨折が**2度、3度、4度と連鎖的に続発する「ドミノ骨折」**です。骨折は1ヵ所だけでも日常生活が著しく不便になります。その骨折が続けざまに起こってしまうのです。ドミノ骨折が起こると、背骨が曲がって背中や腰が丸まる**亀背**や**円背**になり、自由に立ち歩くのが難しくなってきます。そして、いつしか**要介護状態**に陥って**寝たきり**というルートをたどる人が今とても多いのです。

現在、**75歳以上の女性のすでに半数以上が骨粗鬆症**といわれます。みなさんのまわりにも、骨粗鬆症から背骨の圧迫骨折や足のつけ根の大腿骨骨折を経験した人が一定数いるはずです。特に近年は、**コロナ禍の外出自粛の影響**から運動不足になり、骨密度が急に低下して骨折する人が多く、背骨の圧迫骨折の手術件数も増えています。

私はこれまで骨の研究者としてさまざまな基礎研究を行うとともに、整形外科医として20年以上骨粗鬆症の患者さんの診療に携わってきました。一方で脊椎（せきつい）手術の専門医として、背骨を骨折した患者さんの手術を多数手掛けてきました。その中には、早い段階で適切に骨粗鬆症を治療していれば骨折が予防でき、手術をさけられたと思われる患者さんが少なくありません。また、大きな手術を受けたにもかかわらず、残念ながら自力での歩行が難しくなった患者さんもいます。

近年、骨は、単に運動機能を担うだけでなく、**寿命にもかかわる器官**であることが明らかになってきました。例えば、足のつけ根を骨折した患者さんの5年生存率*は、胃がんや大腸がんの5年生存率とほぼ同等であると報告されています。つまり、**骨折はがん並みに怖い**のです。

ところが、多くの人は、**自分の骨の健康に無関心**です。事実、骨粗鬆症検診の受診率は低く、2021年の調査では全国平均で5・3％。多くの人は骨折して医療機関を受診し、そこで初めて骨粗鬆症と診断されます。骨折をきっかけに骨粗鬆症がわかっても、十分な治療が行われないことも多いのが実情です。治療の継続率は低く、大腿骨骨折後の1年間、骨粗鬆症の薬物治療を続けた人は約20％に過ぎなかったという報告もあります。

骨粗鬆症から起こる骨折を予防するには、できるだけ早い段階から、

❶ **運動によって骨量を維持する**こと
❷ **転倒しにくい体づくり**をすること

＊５年生存率＝診断や治療を受けてから５年後の生存率。

❸骨を作るための栄養を十分にとること
❹適切な薬物療法を受けること
がポイントになります。

骨量を保つ、あるいは増やすには、**安静は逆効果**。患部を安静に保つのは骨折後に骨がくっつくまでの期間に限定し、普段は**骨に適度な荷重をかけて刺激する**ことが必要です。骨折の直接的な原因になる転倒を防ぐには、**体幹（胴体）のバランス能力や筋力を向上**させること、そして、**骨折の好発部位に集中する負担を分散できる体の柔軟性を獲得**し、**正しい姿勢や適切な体の動かし方を学ぶ**ことが重要です。

これらは**運動療法**によって実現できますが、日ごろの外来では時間的な制約もあり、患者さんに丁寧に指導するのはなかなか難しいのが実情です。そこで、本書では、**誰でも簡単に行えて日常に取り入れやすく、それでいて骨密度を増加させ、転倒リスクを減少させる効果の大きい運動療法を厳選して紹介**していきます。

骨は**「リモデリング」**といって常に新陳代謝をくり返しており、骨密度を維持、増加させるためには、適切な栄養をとり、骨に行き渡らせる必要があります。特に**カルシウム**と**ビタミンD**は骨の健康を考えるうえで大切です。

骨粗鬆症の治療の大きな柱は、**薬物療法**です。中には、1年続けて使用すれば骨密度を10％以上増やせる薬剤もあり、うまく使えば効果的な治療が可能です。本書では**さまざまな薬剤の特徴**についてもわかりやすく解説しました。

私たち骨粗鬆症の治療に携わる医師の目標は、患者さんの骨折のリスクを最小限にし、骨の健康を最大限に高めて、生活の質を維持することですが、骨粗鬆症を克服するには、**患者さん自身が病気について正しく理解し、治療にみずから積極的に取り組むことが不可欠**です。「もう年だから」といって**あきらめてはいけません**。本書で紹介する多くの方々の症例が示すように、**骨は何歳からでも増やすことができます**。今日からでも遅くありません。毎日のコツコツとした積み重ねが、骨を強め、骨折を防ぎ、**年を重ねても凛(りん)としたいい姿勢で元気よく歩ける**ことにつながります。

本書は、実は、みなさんと同じように、骨の健康が気になる年代となった**私の両親に贈るつもりで、国内外の最新の研究成果をもとに、その最新対策について偽らざる本心を記させていただきました**。これまで私たちの世代を守り、育て、そして世界が驚くような頑張りで日本を元気にしてくださったみなさんに、本書の内容で少しでも恩返しができていたらうれしく思います。骨粗鬆症への理解を深め、その克服に役立て、いつまでも元気に過ごせることを願っています。

獨協医科大学埼玉医療センター整形外科准教授　猪瀬弘之

目次

第3章

第4章

第5章

第6章

第7章

第8章

第1章

がんより怖い!?
骨粗鬆症が1,300万人に急増。背骨の圧迫骨折、足のつけ根の大腿骨近位部骨折から寝たきり、短命化まで招き今大問題

骨がもろくスカスカになり折れやすくなる骨粗鬆症が女性は70代の3人に1人、80代の2人に1人に急増中

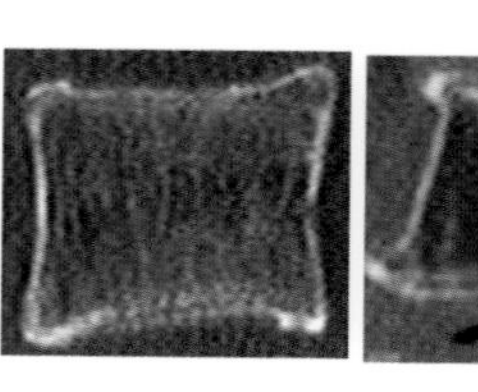
左：正常な背骨
右：骨粗鬆症の背骨

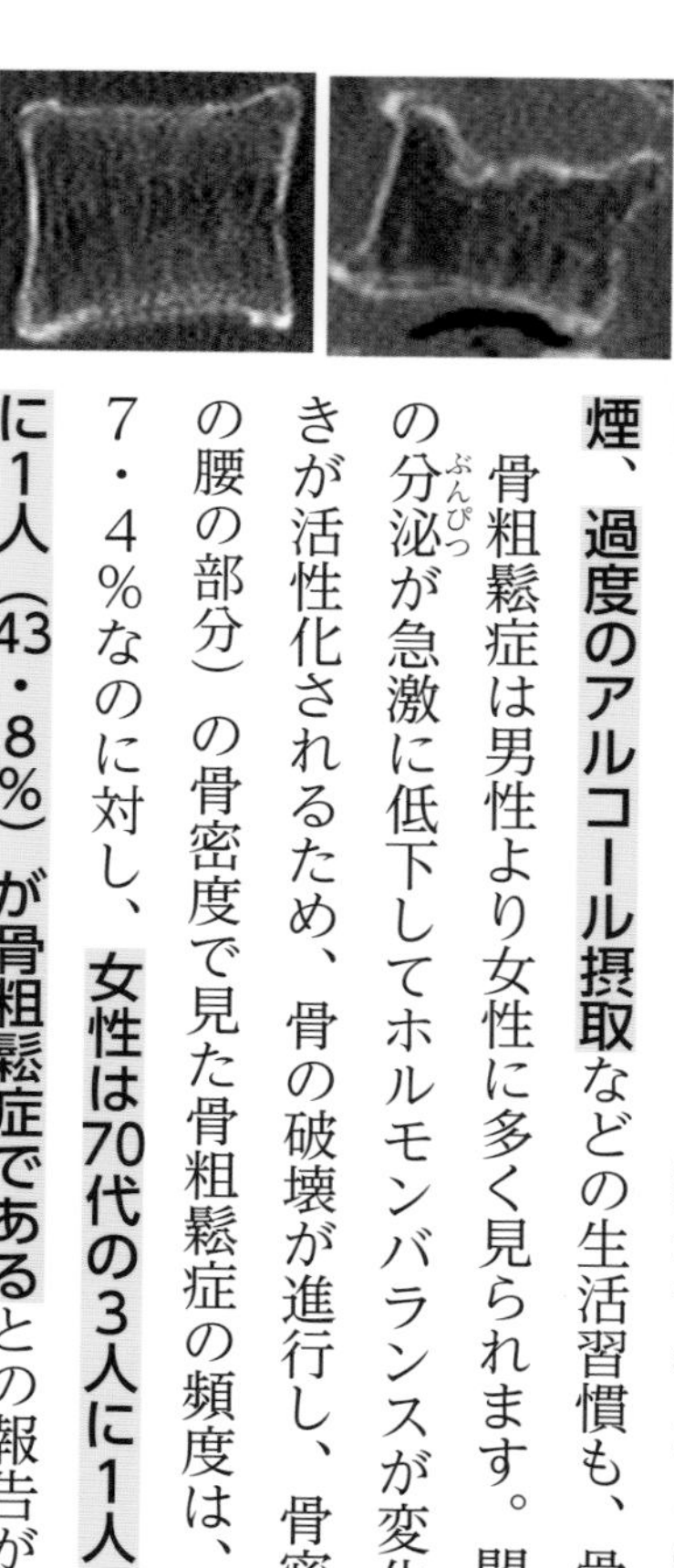

骨密度は20歳ごろまでは成長とともに上昇して、成人期は一定で経過し、その後、年を取るにつれて低下する傾向があります。つまり、年齢を重ねるほど骨粗鬆症（こつそしょうしょう）のリスクが高くなります。このほか、**体格（特にやせすぎの人）**、**極端なダイエット**や**偏食**（カルシウムやビタミンDの摂取不足）などの食生活、**運動不足**、**日光浴不足**、**喫煙**、**過度のアルコール摂取**などの生活習慣も、骨粗鬆症の原因となります。

骨粗鬆症は男性より女性に多く見られます。閉経後、エストロゲン（女性ホルモン）の分泌（ぶんぴつ）が急激に低下してホルモンバランスが変化し、破骨細胞（骨を壊す細胞）の働きが活性化されるため、骨の破壊が進行し、骨密度が低下するからです。腰椎（ようつい）（背骨の腰の部分）の骨密度で見た骨粗鬆症の頻度は、男性は70代で3・6%、80歳以上で7・4%なのに対し、**女性は70代の3人に1人（29・8%）、80歳以上になると2人に1人（43・8%）が骨粗鬆症である**との報告があります（次ジペーのグラフ参照）。

女性ホルモンと骨量の変化

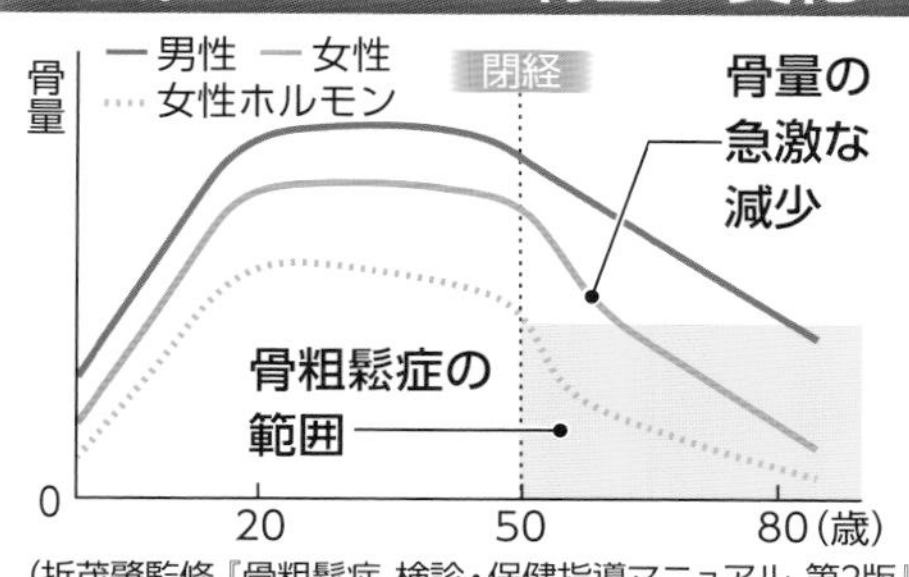

（折茂肇監修『骨粗鬆症 検診・保健指導マニュアル 第2版』ライフサイエンス出版 より）

骨粗鬆症の有病率

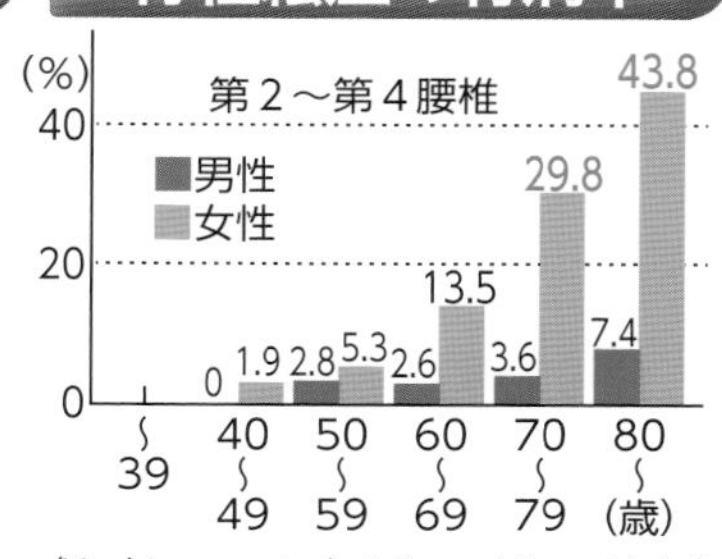

(Yoshimura et al, J Bone Miner Metab. 2009)

日本の骨粗鬆症の患者さんは**1300万人を超える**と推計（2023年時点）されています。実に**全人口の約1割が骨粗鬆症**なのです。また、日本整形外科学会の統計によれば、20年よりも21年のほうが、足のつけ根の骨折（大腿骨近位部骨折）や背骨の圧迫骨折（椎体骨折）の**手術件数が増えている**のも問題です。これは、**コロナ禍の外出自粛の影響で、運動不足になるなどして骨密度が低下し、骨折する人が増えたため**と考えられます。

骨粗鬆症は**「骨強度の低下を特徴とし、骨折のリスクが増大しやすくなる骨格疾患」**と定義されます*。ここでいう**「骨強度」には、「骨密度（単位面積当たりの骨量）」と「骨質（骨の質や構造など）」の2つの要素が関係**します。骨を建物に例えると、丈夫な鉄筋（骨質）の建物（骨）でもコンクリート（骨密度）がスカスカなら骨折リスクは高まります。逆に骨密度が高くギッシリ詰まっていても、骨質がもろければ骨折しやすくなります。**骨強度を決める要因としては、骨密度が70％、骨質が30％を占めます。**

骨粗鬆症の診断は、骨折の有無と骨密度によって行います。骨

＊2000年のNIH（アメリカ国立衛生研究所）のコンセンサス会議による定義。

粗鬆症と診断されるのは、次のような場合です。

❶ **立った姿勢から転倒した程度の軽い外力で、椎体（背骨）、または大腿骨近位部（足のつけ根の骨）を骨折した場合**

❷ **その他の部位（骨盤、上腕骨、手関節や肋骨、下腿）に脆弱性骨折（軽い外力で骨折すること）があって、骨密度が若年成人平均（YAM*と いう）の80％未満である場合**

❸ **骨折していなくても、骨密度が若年成人平均の70％以下である場合**

つまり、これまでに背骨や足のつけ根を骨折していたり、骨折していなくても検査で骨密度がかなり低いと判明したりした場合は、骨粗鬆症と診断されます。

骨強度とは

骨強度	=	骨密度（70%）	+	骨質（30%）
骨の強さ		単位面積当たりの骨量		骨の質（微細構造、骨代謝回転、微小骨折、石灰化）

骨粗鬆症になると骨がスカスカで弱くなっているので、ちょっとした転倒や、ときには特に転んだりケガをしたりした覚えがなくても骨折することがあります。さらに、**骨粗鬆症による骨折は一度だけでなく、何度も連続して起こります。**骨折するということは、骨強度が低かったり、転倒しやすい要因（筋力や運動能力の低下）があったりといった状況を反映しています。つまり、**骨折したこと自体が、将来の新たな骨折のリスクの高さを示している**と考えられるのです。

＊ 20 ～ 44歳の健康な人の骨密度の平均値を100とする。YAM=Young Adult Mean。

骨粗鬆症は背骨の圧迫骨折やドミノ骨折、足のつけ根骨折を招き歩行困難や寝たきりに至り死亡率も高める危険な病

骨粗鬆症による骨折は、**背骨（椎体）**、**足のつけ根（大腿骨近位部）**、**手首（手関節）**、**腕のつけ根（上腕骨）**でよく起こります。**50代以降は背骨、手首、腕のつけ根、70代になると足のつけ根の骨折が増える傾向**があります。このうち最も頻発するのは、**背骨の圧迫骨折**（正式には椎体骨折という）です。

背骨の圧迫骨折が起こると、年齢にかかわらず、その後の足のつけ根の骨折の発生率が上昇します。また、ほかの背骨が次々に骨折する**「ドミノ骨折」**もしばしば起こります。これらは**歩行困難や寝たきりを招き、死亡率を高める原因**になります。

圧迫骨折の多くは、**背骨の前方（椎体）がつぶれるように骨折**しますが、骨折が椎体の中央にまで及んだり重症になったりすれば、

骨粗鬆症による骨折好発部位

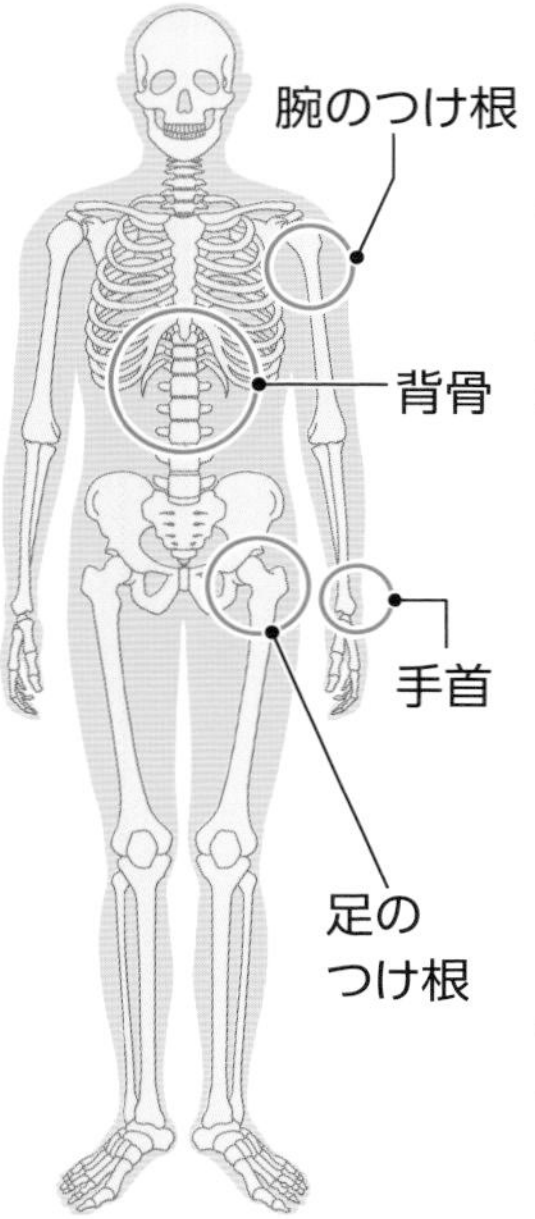

圧迫骨折（椎体骨折）とは

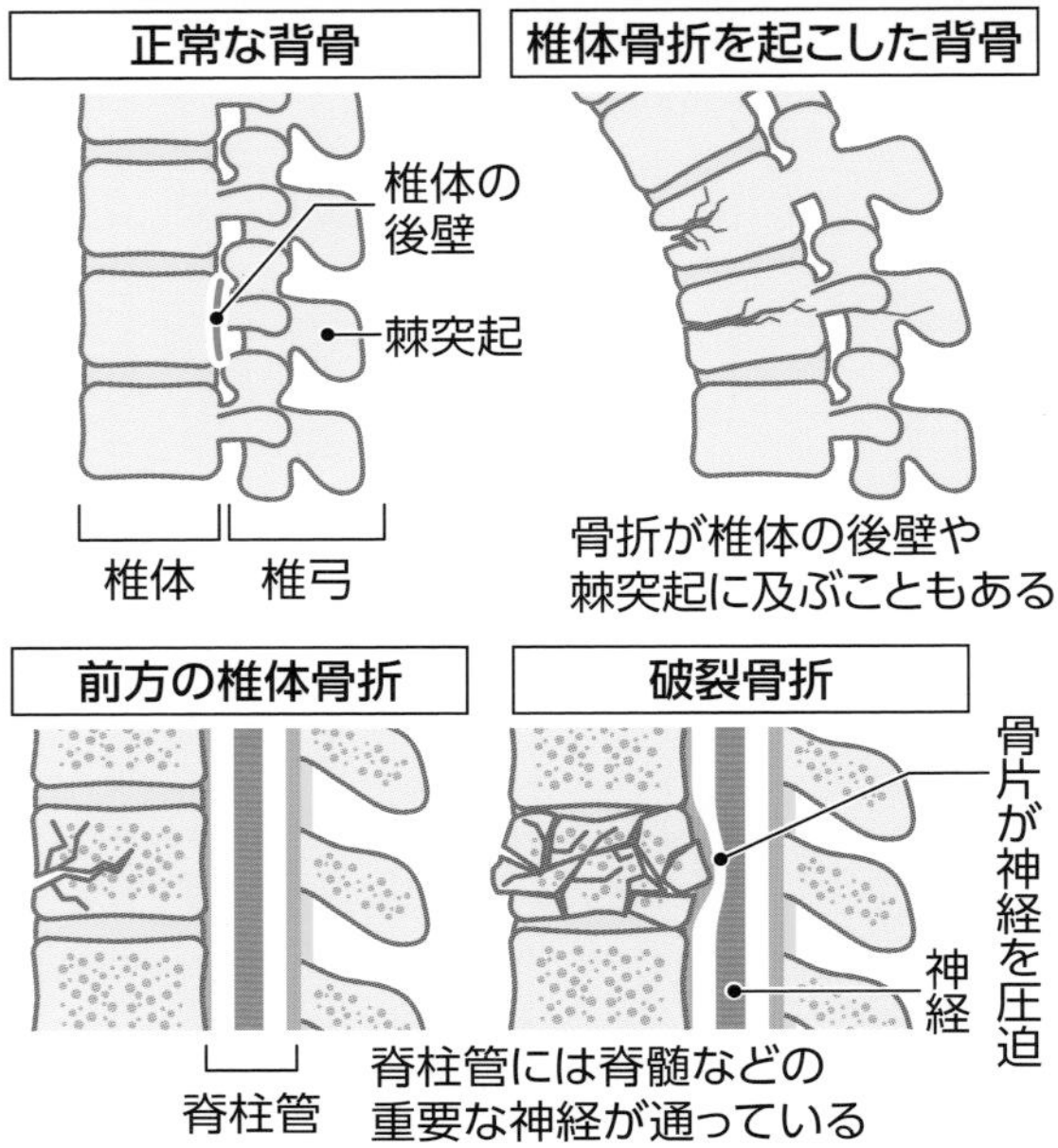

正常な背骨

椎体の後壁

棘突起

椎体　椎弓

椎体骨折を起こした背骨

骨折が椎体の後壁や棘突起に及ぶこともある

前方の椎体骨折

破裂骨折

骨片が神経を圧迫

神経

脊柱管

脊柱管には脊髄などの重要な神経が通っている

背中側の棘突起まで及ぶこともあります。椎体の後壁まで骨折するものを「破裂骨折」といい、この場合、前方だけの場合に比べ、治療をしても骨がうまくくっつかないリスクが高まります。

背骨には脳から伸びる脊髄などの重要な神経の通り道（脊柱管）があります。破裂骨折で骨片が飛び出て脊柱管を狭め、**脊柱管狭窄症**になると、脊髄が圧迫され、**坐骨神経痛**（下肢の痛み・しびれ）や**マヒ**（足が動かなくなったり、足の感覚が鈍くなったり、排尿・排便がうまくいかなくなる症状）が起こることもあります。

背骨の圧迫骨折では、治った後に前方の椎体が、骨折する前よりも若干つぶれた状態でくっつきます。そのため、骨折する前と比較して、背が少し低くなります。痛みは3ヵ月程度で改善しますが、それ以上経過しても強い痛みが続く場合は、手術をしたほうが痛みが早く取れることもあります。

背骨の圧迫骨折は転倒、尻もち、踏み外し、荷物の運搬時に好発し、セキ・クシャミでも発生

骨粗鬆症(こつそしょうしょう)の高齢者の骨折で最も多い背骨の圧迫骨折（椎体(ついたい)骨折）は、**立った状態からの転倒**や、**尻(しり)もち**などによる軽い圧力でよく起こります。このほかにも、**段差を踏み外す**、**重い荷物を持つ**、**介護などで人を支えたり起こしたりする**、といった何げない動作で骨折することもあります。**セキやクシャミをした拍子**に、あるいは**ちょっとかがんだだけ**で起こることもあります。

本人が知らないうちに背骨を骨折している**「いつのまにか骨折」**（無症候性椎体骨折）も多いようです。自分が骨折したことに気がつく骨粗鬆症の患者さんは、全体の3分の1にすぎないという報告もあります。もしも**「最近、背中が丸くなった」「背が縮んだ」「何週間も腰痛が続いている」**といった症状があれば、自分でも気づかないうちに、すでに背骨を骨折している可能性があります。

骨粗鬆症による骨折のうち、背骨の骨折に次いで2番めに多いのが、大腿骨近位部(だいたいこつ)

骨折（足のつけ根の骨折）です。足のつけ根の骨折は、ほとんどの場合、**転んでお尻や太ももを打ったとき**に起こります。骨粗鬆症が進んでいると、またを開くような動きをするさい**ちょっと足をねじっただけ**で骨折することもあります。日本では毎年10万人以上が足のつけ根を骨折していると推計されています。

足のつけ根を骨折すると、痛みや安静による全身の筋力低下などにより、治った後も歩くのが困難になって車イス生活になったり、外出せず家に閉じこもりがちになったりする人が多いことがわかっています。これらは将来、寝たきりになるリスクを高めます。寝たきりになると肺炎や認知症などの合併症が増加する影響があり、**足のつけ根を骨折した人のうち約10%は、1年以内に死亡する**という報告もあります。足のつけ根の骨折は、生命予後に影響を与えるという意味で、大きな社会問題でもあるといえます。

介護保険の要介護認定で「要支援」や「要介護」となった原因の約14%は骨折・転倒で、認知症、脳血管疾患（しっかん）（脳卒中）に次いで第3位です。**転倒や骨折を防ぐ**ことは、将来にわたって自立した生活を送るために、非常に重要なのです。

要支援・要介護になった原因

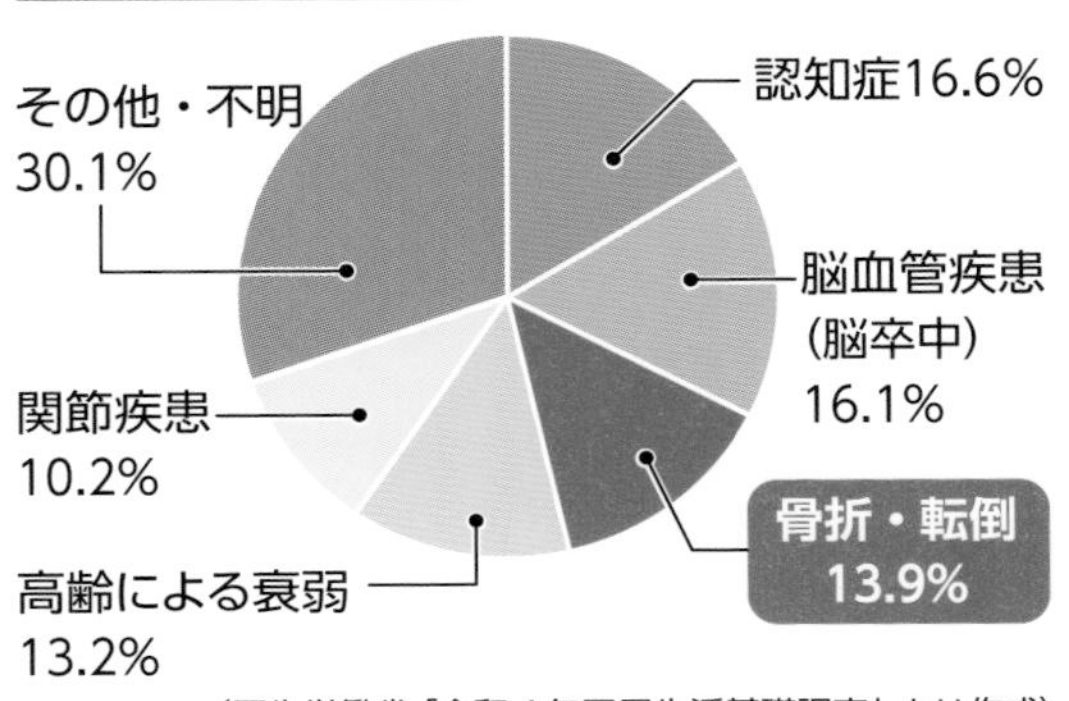

（厚生労働省「令和４年国民生活基礎調査」より作成）

背骨の圧迫骨折は第11胸椎～第2腰椎で多く、第12胸椎・第1腰椎に最も頻発し、骨折時は強い急性腰痛が発生

まず、背骨の図を見てください。通常、頸椎（背骨の首の部分）は7個、胸椎（胸の部分）は12個、腰椎（腰の部分）は5個の椎骨が積み重なるようにつながって、背骨を構成しています。

椎体骨折の好発部位

頸椎（首）
胸椎（胸）
腰椎（腰）
仙骨・尾骨
胸と腰の境目（第11胸椎～第2腰椎）で椎体骨折が多発する
特に多いのは第12胸椎と第1腰椎

背骨の圧迫骨折（椎体骨折）は、胸から腰への移行部（第11胸椎～第2腰椎）、中でも**第12胸椎と第1腰椎で多発**します。これは、後弯（後ろにカーブ）する胸椎と前弯（前に

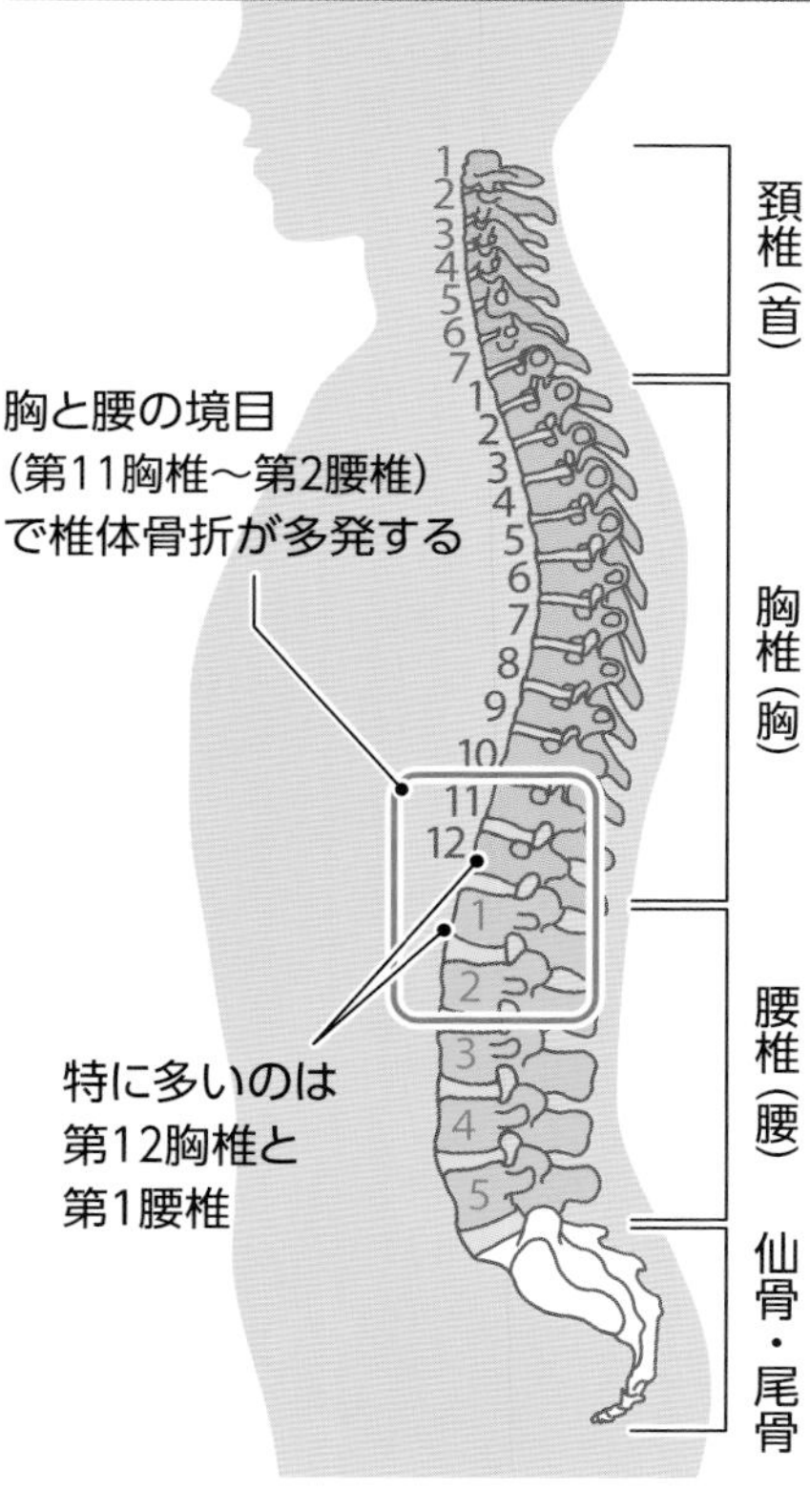

カーブ）する腰椎の境目では力が集中しやすいことに加え、体を前後に曲げたり左右に傾けたりするさいに比較的よく動く部位であることが関係しているのではないかと考えられます。

急性期（骨折したばかりの時期）の症状は、**体を動かしたときや腰を押したりたたいたりしたときに感じる強い痛みです。痛みのために寝返りを打ちにくくなったり、立ち上がる、歩くといった動作が難しくなったりします**。

このような症状はぎっくり腰*（急性腰痛）と似ており、区別するのが難しい場合があります。ただ、ぎっくり腰の痛みは1週間程度でかなり軽減するのに対し、**圧迫骨折の痛みは、通常、骨がくっつくまでの3ヵ月〜半年程度は続きます**。骨折した箇所の骨がくっつかないと、さらに長く続くこともあります。非常にまれですが、椎体の後壁が圧潰（つぶれるように壊れること）し、骨片が脊柱管内の神経を圧迫すると、脊柱管狭窄症を合併して**下肢にマヒが生じる**こともあります（16ページ参照）。

強い外力が加わったわけではないのに圧迫骨折を起こした場合は骨粗鬆症が疑われ、骨が弱くなっているため、1年以内に次の骨折を起こす可能性が高まります。骨折箇所が増えるほどその後の死亡率も増加し、圧迫骨折が3個ある人の年間死亡率は、1個の人に比べ約3倍に高まるという報告があるほどです。

＊背中や腰の筋肉の炎症、椎間板ヘルニア、脊柱管狭窄症、仙腸関節（骨盤中央の骨にある関節）の炎症などから起こる。

圧迫骨折の3分の2は知らぬまに起こる「いつのまにか骨折」で、腰背部痛の受診時は「背中までレントゲン」が重要

「背骨を骨折した女性のうち、医療機関を受診したのは3分の1程度と推測される」という報告*があります。腰や背中に強い痛みを感じれば受診するのが普通なので、背骨を骨折した患者さんのうち3分の2程度は無症状で、自分でも骨折していることに気づいていなかったのではないかと考えられることになります。いわゆる**「いつのまにか骨折」**といわれるものです。

私の患者さんでも、それほど多くはありませんが、X線（レントゲン）検査で以前の背骨の圧迫骨折（椎体骨折）を発見して指摘しても患者さん自身は全く気づいておらず、驚かれることがときどきあります。実際には全くの無症状ではなく、腰痛は感じていたけれども、我慢できる範囲内だったので、病院には行かずに過ごしていたら治ってしまったという人も多いと思われます。

圧迫骨折の場合、ＭＲＩ（磁気共鳴断層撮影）検査をすれば骨折を見逃すことはま

* Cooper et al, J Bone Miner Res 1992

ずありませんが、急性期（骨折したばかりの時期）にX線撮影をしてもなかなか骨折が判明しないことも多く、初回のX線検査で骨折と診断できるのは半数くらいという報告もあります。したがって、腰背部の痛みを訴えて受診して椎体骨折と診断されなかったとしても、その後も痛みが長引くようなら、初診から1週間くらい時間をおいて、再度X線検査をしてもらうといいでしょう。

また、腰痛で受診すると腰部をX線撮影することが多いですが、圧迫骨折は胸椎（背骨の胸の部分）の最下部で起こることが多いものです。そのあたりの圧迫骨折を疑う場合は、腰だけでなく背中までレントゲン撮影をしてもらうことが重要です。

骨折したということは、骨密度の低下や転倒リスクが増大していることを反映しているので、将来骨折するリスクが高いことは明らかです。また、痛みの強さに関係なく、すべての圧迫骨折は、腰痛や活動性の低下ばかりでなく、その後の死亡率に関連していると考えられます。したがって、背骨を骨折したら、その治療と同時に、次の骨折を防ぐために**骨粗鬆症の治療を開始することが重要**です。

さらに、たとえ今までに背骨を骨折した自覚がないとしても、以前と比べて**身長が2センチ〜4センチ以上縮んだ場合**は、圧迫骨折の疑いがあります。医療機関を受診し、背骨の骨折がないか、骨密度が低くなっていないかを検査しましょう。

背骨の圧迫骨折が慢性期になると背中と腰が曲がり、脊柱管狭窄症ばかりか心肺機能の低下や逆流性食道炎、誤嚥も招く

背骨の圧迫骨折（椎体骨折）も、急性期（骨折したばかりの痛みが強い時期）を過ぎると、痛みは和らぎます。

ただし、**圧迫骨折を起こすと背骨の前のほうがつぶれるため、背中や腰が後弯（丸まること）し、身長が縮みます。すでに椎体骨折がある人が続けて背骨の骨折を起こせば、後弯はますます強くなります。**

背中や腰が曲がった姿勢は、老けて見えるといった見た目の問題以上に、健康や生活に影響を与えます。例えば、背中や腰が曲がると腹部で胃などの消化器官が圧迫され、食欲が低下したり、**逆流性食道炎**（胃液が胃から食道へと逆流し食道粘膜に炎症が起こる病気）になりやすくなります。物を飲み込むさいには**誤嚥**（食べ物や飲み物が誤って気管に入ること）が起こりやすく、**誤嚥性肺炎***や**窒息**の恐れもあります。胸郭（肋骨で囲まれた空間）が狭まって心臓や肺が圧迫され、心肺機能の低下も招きます。

＊食べ物や飲み物とともに口の中の細菌が肺に入り、炎症を起こす病気。

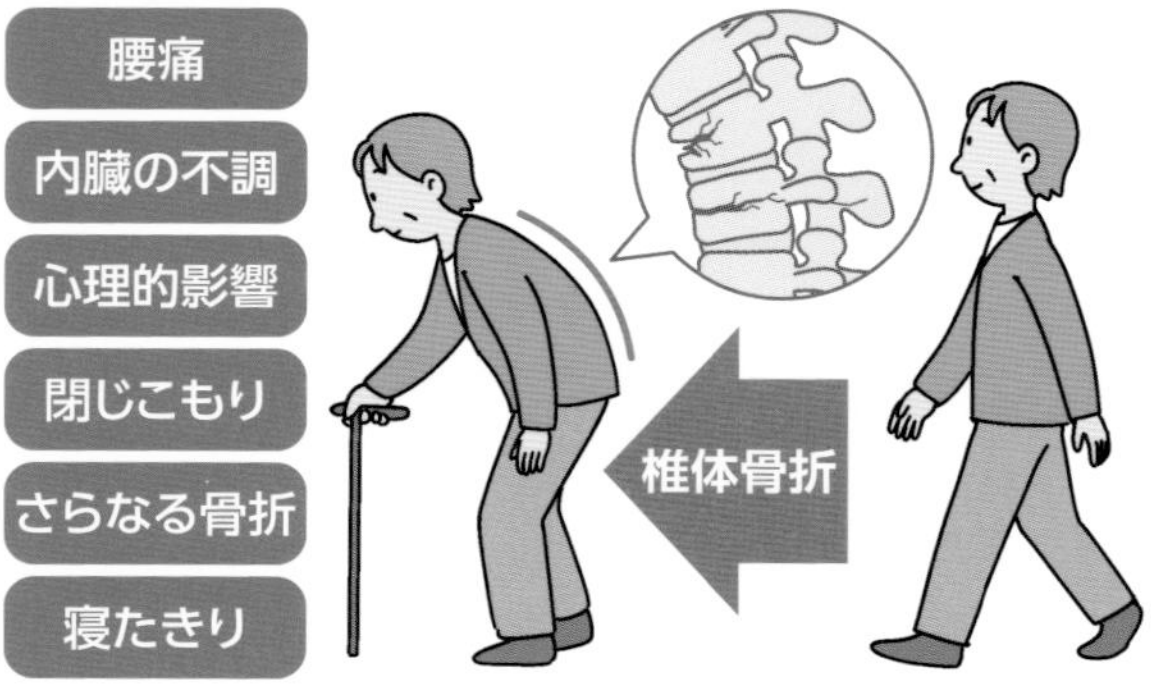

日常生活では、**棚の上のほうに手を伸ばす**、**物を持ち上げる**、**自分で全身を洗う**、**走る**などの日常生活動作がうまく行えなくなってきます。支えなしでは体が前に倒れるので長く歩くのが難しくなり、**杖**（つえ）などを使わざるを得なくなって、買い物でも**カート**に頼るようになります。また、**台所仕事もひじをついて行う**必要が出てきます。

背中や腰の曲がりが強くなると身体的に内臓の不調や腰痛を招くだけではありません。心理的には姿勢や体型への不満、転倒・骨折に対する不安などで気持ちがふさぎ、それが原因で社会的に閉じこもりがちになるなど、ＱＯＬ（生活の質）も大幅に低下してしまいます。

姿勢の変化から身体の活動性が失われれば、骨密度が低下して骨はさらに弱くなり、次の骨折が発生しやすくなるという悪循環に陥ります。圧迫骨折から椎体の圧潰（あつかい）（つぶれるように壊れること）が進行し、**脊柱管狭窄症**（せきちゅうかんきょうさく）となって（16ページ参照）、下肢（かし）の痛みやしびれ、マヒをきたす例もまれにあり、寝たきりになる危険性もあります。

したがって、**背骨の圧迫骨折の治療では、その後の背骨の変形、姿勢の変化をいかに少なくするかが重要です**。

骨折による腰曲がりからQOLが低下

腰痛
内臓の不調
心理的影響
閉じこもり
さらなる骨折
寝たきり

椎体骨折

足のつけ根骨折は「がんより怖い」ともいわれ、股関節の痛みで急に立てなくなる症状があれば心配

足のつけ根の骨折（大腿骨近位部骨折）＊は、高齢者が転んだときによく起こります。大腿骨と骨盤の間の股関節は、「歩く」動作をするために大変重要な関節です。足のつけ根を骨折すると股関節をうまく動かせなくなり、通常は歩けなくなります。

したがって、**転んだ後に痛くて立てない、歩けない**ような場合、われわれ整形外科医がまっさきに疑うのは大腿骨近位部骨折です。まれに骨折しながらも歩いて病院を受診する人もいますが、これは骨折した骨のズレが非常に少ないケースです。その場合でも、骨折したまま歩くうちにズレが広がり、痛みが強まってくるのが普通です。

足のつけ根骨折の治療では、手術せずに骨がくっつくのを待つことはまずありません。通常の健康状態であれば、**90歳を超える高齢であっても手術を行います**。骨のズレがないかズレがわずかな場合でも、なんらかの手術を行い骨折箇所を固定します。なぜなら、手術せずに骨がくっつくのを待つためには、非常に長い期間寝ていなければ

＊手足で、胴体に近いほうの部位を「近位」、遠いほうを「遠位」という。大腿骨では、「大腿骨近位部」は胴体に近い足のつけ根、「大腿骨遠位部」は胴体から遠くひざに近い部位。

ばならず、その間に歩くための機能が落ちたり、認知症の症状が出たりする恐れが大きいからです。

足のつけ根を骨折すると股関節が動かせなくなる

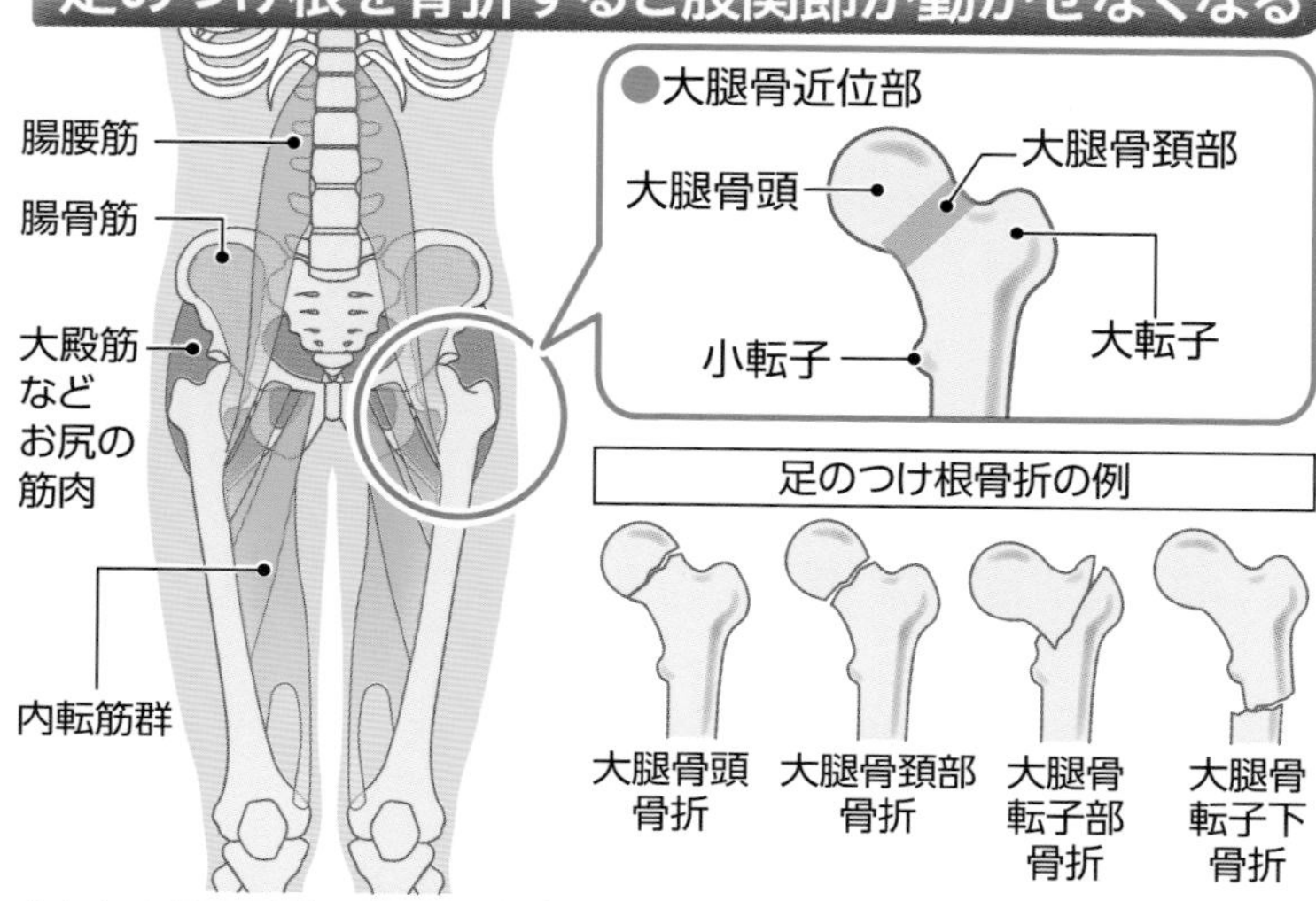

太ももの骨と骨盤や背骨を結ぶたくさんの筋肉によって股関節が動き、これにより歩行が可能になる。足のつけ根を骨折すると、筋肉が伸び縮みしても大腿骨を動かすことが難しくなり、歩けなくなる

ただ、手術を行っても、骨折前と同じように歩ける状態に戻れる確率は40～50％という報告もあります。つまり、足のつけ根を骨折すると、たとえ手術をしても、杖(つえ)なしでは歩けなくなったり、車イスや寝たきりの生活になったりするリスクがあるということです。

大腿骨近位部骨折の手術を行った人の5年生*存率は63％という報告もあります。この確率は**胃がんや大腸がんと同等**です。もし寝たきりになった場合は、元気に回復した場合と比較して、年間で約300万円もの医療・介護費が見込まれます。急に寝たきりになることもある点を考えると、足のつけ根の骨折は、ある意味で、がんよりも恐ろしいケガといえます。

＊Lee et al, J. Clin. Endocrinol. Metab. 2014
5年生存率＝診断や治療を受けてから5年後の生存率。

第2章

骨粗鬆症の予防・進行防止には
治療・食事・運動の
３本柱が必須で、
早期発見と
この生活改善・新薬が
極めて重要

骨の折れにくさ「骨強度」は「骨密度」と「骨質」で決まるため薬単体の治療だけでは不十分で、食べ方と運動が重要

骨粗鬆症の改善のためには何が必要でしょうか。❶**治療薬**、❷**食事による適切な栄養摂取**、そして❸**運動**の3本柱で、骨の強度を高めることです。

❶**治療薬**……骨粗鬆症の治療で骨密度を高めるために最も大きく影響するのは、骨粗鬆症の薬です。薬によっては、**1年間注射をすると10%以上も骨密度の上昇が見込めるものもあります**。骨密度が低い患者さんにとっては、骨折のリスクを減らすために、どのような薬を選択するかが非常に重要です。

❷**食事**……骨粗鬆症の新薬の臨床試験では、必ずといっていいほど、参加する人にカルシウムとビタミンDを補充したうえで試験が行われています。薬の効果を正しく評価するために、これらの栄養素がしっかり摂取され、充足した状態であることが前提になっているのです。これらが不足していると、薬剤を使用しても骨の石灰化*がうまく起こりません。つまり、カルシウムとビタミンDが欠乏した状態では、ど

＊カルシウムがたんぱく質の一種であるコラーゲンに沈着して骨を形成すること。

んなに高い効果が期待できる薬を使用しても、その薬の持つ効力が十分に得られない可能性があるのです。食事で必要十分な栄養をとることは、治療薬の効果を上げるための土台づくりとして重要です。

③運動……骨密度を維持するためには、運動も大切です。宇宙ステーションのような無重力の環境に半年間滞在すると、骨量が10％も減少します。これは、**体に荷重が加わらないと、破骨細胞（骨を壊す細胞。12ページ参照）が活性化する**ためです。骨量を増やし骨密度をアップするには、骨に負荷をかける「運動」が不可欠です。運動には、姿勢を維持して転倒を防ぐための「筋力」をつける効果もあります。

これら3つの柱にも関係しますが、もう一つ、重要な要素があります。それは、良好な**「骨質」**です。

骨の強度は骨密度と骨質で規定されます（13ページ参照）。骨を鉄筋コンクリートの構造物とすると、コンクリートはカルシウム（ハイドロキシアパタイト）などのミネラル、鉄筋は**コラーゲン（たんぱく質の一種）**です（54ページ参照）。このうち主にコンクリートの強さは骨密度で評価され、薬物療法で改善可能ですが、**骨質は薬で改善するのが難しい**のが実情です。では、骨質を改善するには、どうすればいいでしょうか。

ポイントは、鉄筋（コラーゲン）の構造のよし悪しです。**規則正しいコラーゲン線**

維の構造が保たれれば骨質が高まり、骨強度も上がります。ただし、食べ物やサプリメントでコラーゲンをとっても骨質がよくなることは期待できません。コラーゲンの規則正しい構造は、**「終末糖化産物（AGEs）」**という有害物質によって乱されます。AGEsは体内の余分な糖分とたんぱく質が結合してできる老化物質で、加齢のほか、糖尿病、動脈硬化、腎臓病などの生活習慣病でも増加します。骨以外でも、血管や肌のコラーゲン構造も乱すため、動脈硬化、肌のしわやたるみにも関係します。

AGEsを減らすには、まず、バランスのいい食生活、血糖の適切なコントロール、禁煙など、生活習慣を整えることが大切です。運動習慣は血糖値の上昇を抑えるために有効で、特に**食後の運動**が効果的です。次に、AGEsを多く含む食品をさけること。**AGEsは糖質とたんぱく質を一緒に高温で加熱した食品に多い**ことがわかっています。例えばフライドポテトやトンカツなどの**揚げ物**、ホットケーキやギョウザなどの**焼き物**には多く、**ゆで料理（鍋物や煮物）**、**蒸し物**、**生野菜や刺身にはAGEsが比較的少ない**とされています。

骨質を低下させるAGEs

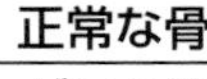

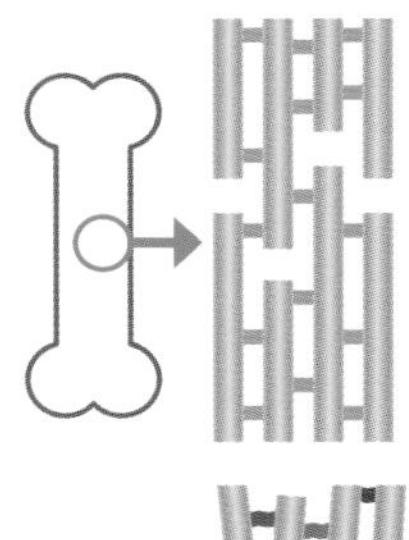

正常な骨

コラーゲンの線維どうしは「架橋」でつながれ、規則正しい構造によって強靱性と柔軟性と骨質が保たれる

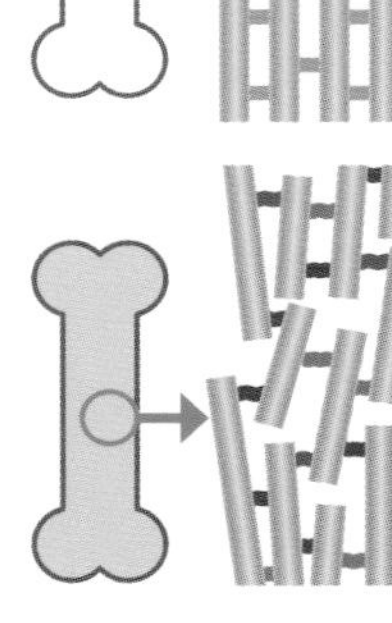

構造が乱れた骨

AGEsが増えるとコゲのように架橋にこびりつき、コラーゲンの規則正しい構造を乱して骨の柔軟性と骨質を低下させる

骨は約5ヵ月かけて再構築され全身の骨は5~10年で入れ替わり、早期からの「骨貯金」が極めて重要

成人後は私たちの骨は変化しないと思われがちですが、実は、常に新しく作り替えられています。体を動かすと、骨へのメカニカルストレス*を感知した骨細胞という細胞が、骨の作り替えの指示を出します。指示に従って破骨細胞が骨を壊し（骨吸収）、破骨細胞によって壊された部分に骨芽細胞が新しい骨を作ります（骨形成）。これを**リモデリング（新陳代謝）**といいます。成人ではリモデリングの一連の過程に要する期間は約5ヵ月、**1年間で全身の約10~20％の骨が作り替えられ、約5~10年でほぼすべてが入れ替わります**。リモデリングのさい、骨形成よりも骨吸収が活発に行われれば、年齢とともに進む骨量の減少に拍車がかかり、骨粗鬆症（こつそしょうしょう）を招きます。

今からでも遅くありません。なるべく早く骨にいい生活習慣を身につけて骨形成を活発にし、「骨貯金」をしていけば、必ず将来の骨量の増加につながり、骨粗鬆症の予防・改善につながります。

＊歩く、走る、跳ぶなどの動作によって骨に物理的な力（衝撃）が加わること。

更年期後、女性、ダイエットをよくした、運動嫌い、過剰飲酒など「骨粗鬆症になりやすい人となりにくい人の違い」

女性は男性よりも骨粗鬆症（こつそしょうしょう）になりやすいことはよく知られていますが、特に更年期後は注意が必要です。

男女ともに骨量は成長とともに増加し、成人となる20歳ころに最大値に達し、40代まではほぼその量が維持されます。ところが、20歳ころのピーク時の骨量が、女性は男性に比べて少ないのです。つまり、女性はもともと「骨貯金」が少ないために、以後の骨量の減少が、骨粗鬆症につながりやすくなるのです。

さらに、男女ともに50歳ころから骨量が減少していくのは同じでも、女性の場合はそこに**閉経**が重なります。閉経後は骨吸収を抑え骨形成を促すエストロゲン（女性ホルモン）が急減し、ホルモンバランスが変化します。これによって破骨細胞（骨を壊す細胞）の働きが活性化されて骨量が減少、骨密度が急激に低下し、骨粗鬆症を発症しやすくなるのです（12ページ参照）。

骨密度は**遺伝**の影響も受けます。遺伝率は40～80%とされていますが、女性の場合は、母親と娘の骨密度が相関することがわかっています。つまり、**母親が骨粗鬆症だったり、骨折の手術歴があったりする場合**、その娘も**骨粗鬆症を発症する確率が高い**のです。

骨粗鬆症も多くの生活習慣病の予防と同様に、過去の食事や運動などの生活習慣が影響します。20歳ころに骨量が最大値に達したときの骨密度は、**思春期の運動習慣**（中学・高校時代のクラブ活動など）や活動総エネルギー消費量[*1]の影響を受け、あまり体を動かさない人は骨密度が低く、骨粗鬆症になりやすいことがわかっています。

また、**成長期に過度なダイエット**をした人は、成人期を迎えたときに骨量が十分な量に達しておらず、「骨貯金」の少ない状態のまま、50歳以降の減少期を迎えることになります。すると、特に女性は、閉経後の早い時期から骨粗鬆症を発症しやすくなる恐れがあります。

骨粗鬆症には**体重**も関係します。脂肪細胞には、骨吸収を抑え骨形成を促すエストロゲンを分泌（ぶんぴつ）するよう指令を出す働きがあります。女性だけでなく男性でも、**やせすぎ**で体脂肪が少ない人はこの働きが不十分となり、エストロゲン不足となって、骨粗鬆症リスクが高まります。

＊1 基礎代謝（安静時のエネルギー消費）、食事誘発性熱産生（食事で発生する熱によるエネルギー消費）、身体活動によるエネルギー消費を合計したエネルギー量。運動量が少なければ小さくなる。

一方、**過体重**の人も体の重みで背骨の圧迫骨折（椎体骨折）を起こしやすくなるので、やせすぎ（ＢＭＩ[*2]18・5未満）・太りすぎ（ＢＭＩ25以上）のどちらもよくありません。骨折をさけるためには、ＢＭＩ18・5以上～25未満の適正体重を目標としましょう。

このほか、**喫煙**や**過剰な飲酒**といった習慣も、骨に悪影響を与えます。

喫煙は骨形成を促すエストロゲンの分泌を低下させ、腸からのカルシウム吸収を妨げて尿中へ排泄されるのを促進する作用があります。喫煙者は非喫煙者に比べて足のつけ根骨折（大腿骨近位部骨折）のリスクが1・84倍増えるとされ、特に女性の喫煙者は、喫煙しない女性に比べ、足のつけ根骨折リスクが70歳で41％、80歳で71％も高いという報告があります。骨の健康のためには、まずは喫煙を始めないこと。今タバコを吸っている人は、すぐに禁煙しましょう。

過剰な飲酒も骨粗鬆症のリスクを高めます。アルコールにも、腸でのカルシウム吸収を妨げて尿中へ排泄されるのを促進する作用があります。アルコール量に換算して1日16グラム以上を摂取すると、足のつけ根骨折のリスクを1・68倍に高めるとされ、しかもこのリスクは飲酒量が増えるほど上昇します。

さらに、骨の形成に不可欠なビタミンＤ（49ページ参照）は肝臓と腎臓で活性化（体内

＊2 BODY MASS INDEX: 肥満度の国際的な指標。体重［キロ］÷（身長［メートル］×身長［メートル］）で求められる。18.5未満でやせすぎ、25以上で肥満とされる。

骨粗鬆症のリスク予想

体重（キロ）－年齢（歳）× 0.2 で求めた値を指標とする

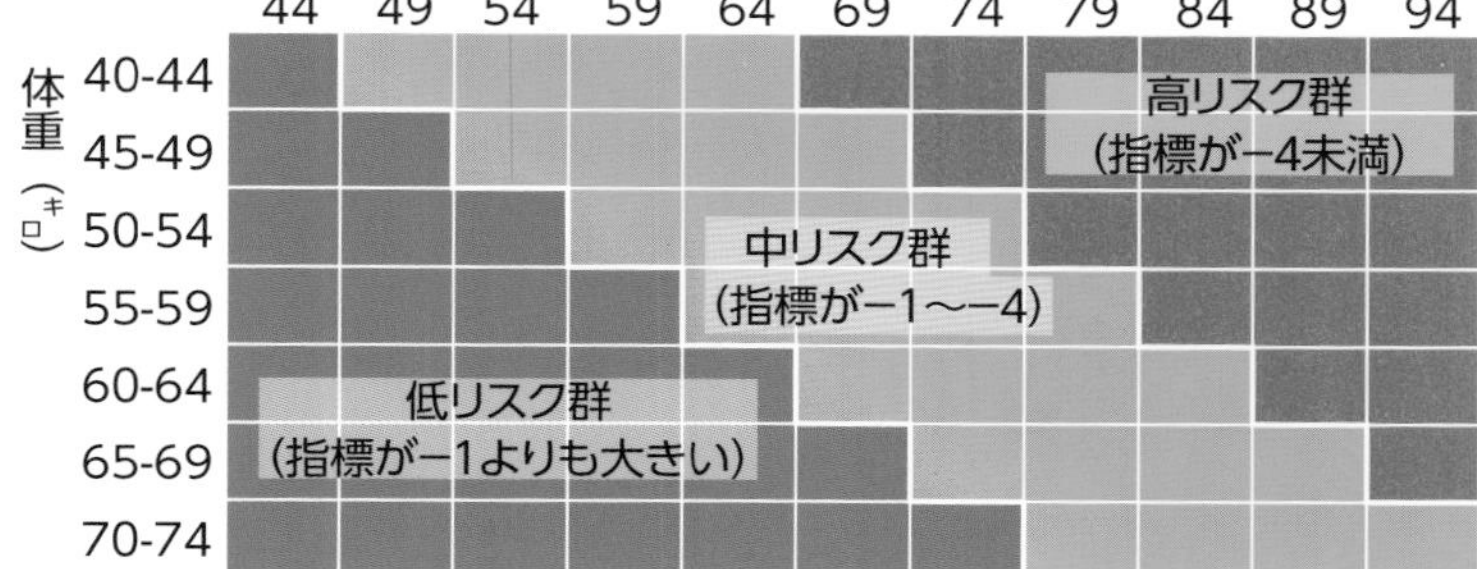

(Female Osteoporosis Self assessment Tool for Asia)

で利用しやすいようにすること）されます。過剰な飲酒で肝臓や腎臓の機能が低下すると、この働きが妨げられます。飲酒はアルコール量に換算して1日24グラム（ビール大瓶1本は25グラム、日本酒1合は22グラム程度）未満とし、適量を楽しむようにしましょう。

40歳以上の人は**年齢・体重から骨粗鬆症のリスクを予想できます**（図参照）。**体重（キロ）から年齢を引いた数値に0・2をかけて求めた数値が「マイナス1未満」であれば骨量の減少が疑われ、「マイナス4未満」であれば骨粗鬆症のリスクが高い**と考えられます。また、**FRAX**（フラックス）*3というプログラムがインターネット上で公開されています。**質問に答えるだけで、骨粗鬆症による骨折の今後10年間における発生率が予測できます。**どちらも、骨折リスクが心配される結果が出たら、整形外科を受診して検査を受けるようにしましょう。

左の2次元バーコードをスマートフォンで読み取ると、FRAX（骨折リスク評価ツール）のページにアクセスできる。（問12「骨密度（BMD）」がわからない場合は、省略してもおよその結果は得られる）。

骨粗鬆症財団による説明ページ：https://www.jpof.or.jp/osteoporosis/selfcheck/frax.html

＊3 Fracture Risk Assessment Toolの略。世界保健機関（WHO）の国際共同研究グループが開発。75歳未満では、骨密度が若年成人平均値（YAM）の80%未満であり、FRAXで求めた今後10年間の主要骨粗鬆症性骨折（Major osteoporotic Fracture）の確率が15%以上の場合は、薬物療法を開始する基準とされている。

朝食抜き、日照不足、座りっぱなし、寝っぱなし、運動不足、睡眠不足など「骨を知らぬまに弱める悪習」チェック

日常生活で骨を知らぬまに弱めていないでしょうか。チェックして改めましょう。

❶**朝食抜き**……朝食抜きの人は骨密度が低いという報告もあるほか、骨形成に欠かせないたんぱく質は、まとめ食いをしても効率よく利用できないとされています。常に新陳代謝をしている骨のために、**欠食せず朝・昼・夕の3食、カルシウムやビタミンD、たんぱく質など、栄養バランスのいい食事**を心がけましょう。

❷**運動不足**……世界の中でも、日本人は座って過ごす時間が特に長いといわれます。座りっぱなしや寝っぱなしでは骨への適度な刺激が得られず、骨粗鬆症(こつそしょうしょう)を進行させてしまいます。まずは**30～60分に一度は立ち上がって歩き回ったり、散歩をしたり、**本書で紹介する体操をしたりして、体を動かす**習慣**をつけましょう。

❸**睡眠不足**……不眠や寝不足は成長ホルモン*の分泌(ぶんぴつ)を妨げるため、骨の健康にも影響があります。寝具や寝室環境を整えるなど、睡眠を十分に取る工夫をしましょう。

＊子供の成長を促すだけでなく大人になっても脳下垂体から分泌されているホルモン。骨形成や骨量の維持のほか、脂肪・糖の代謝、たんぱく質の合成などを調節する働きがある。

糖尿病・慢性腎臓病・関節リウマチ・甲状腺機能亢進症・ステロイド薬など骨粗鬆症のリスクを高める病気・薬一覧

生活習慣、閉経、加齢、遺伝以外の原因で起こる骨粗鬆症を「続発性骨粗鬆症」といいます。女性に多い「原発性骨粗鬆症」と異なり、性差は少なく、男性にも大きな問題となる病気です。原因には、副甲状腺機能亢進症や甲状腺機能亢進症などの内分泌疾患のほか、糖尿病、慢性腎臓病、慢性閉塞性肺疾患、関節リウマチ、サルコペニアやフレイル、ステロイド薬などがあります。

続発性骨粗鬆症の治療は、原疾患（もとになる病気）の治療、原因薬の減量または中止を優先します。ただし、原疾患の治療やコントロール、原因薬物の中止が困難な場合には、骨粗鬆症に対する治療が必要です。

続発性骨粗鬆症の主な原因

内分泌性	副甲状腺機能亢進症、クッシング症候群、甲状腺機能亢進症、性腺機能不全など
栄養性	胃切除後、神経性食欲不振症、吸収不良症候群、ビタミンC欠乏症、ビタミンAまたはD過剰
薬物	ステロイド薬、抗けいれん薬、ワルファリン（抗凝固薬）、性ホルモン低下療法治療薬、SSRI（抗うつ薬）、メトトレキサート（リウマチ薬）、ヘパリン（抗凝固薬）など
不動性	全身性（寝たきり、両側の下肢のマヒ、廃用症候群、宇宙旅行）、局所性（骨折部位をギプスで固定した後など）
先天性	骨形成不全症、マルファン症候群
その他	糖尿病、関節リウマチ、アルコール依存症、慢性腎臓病、慢性閉塞性肺疾患など

（「骨粗鬆症の予防と治療ガイドライン2015年版」（日本骨粗鬆症学会、日本骨代謝学会、骨粗鬆症財団）より）

＊サルコペニア：筋力・身体能力が低下した状態。フレイル：心身の虚弱状態。

新説　骨は脳・血管・肝臓を守り筋肉を増やす
「若返りホルモン」も分泌するため、
骨量維持は全身的緊急課題

近年、骨はただ単に体重を支えるだけでなく、ほかの臓器に影響を及ぼす内分泌臓器（ホルモンを体内へ分泌する器官）としての働きがあることがわかってきました。例えば、**オステオカルシン**というホルモンは、[*1]すい臓でインスリン分泌を促す、[*2]肝臓の炎症を改善する、[*3]脂肪組織で脂肪燃焼を促進する、[*4]脳に働きかけて認知機能の改善をもたらすといった働きがあるとされています。また、骨芽細胞から分泌される**オステオプロテゲリン**[*5]はすい臓のβ細胞の増殖を促進し糖尿病の発症を遅らせ、**リポカリン2**[*6]は食欲を抑制することなども報告されています。ほかにも、心臓や血管の健康を維持したり、筋肉を増やしたり、生殖能力を高めたり、各種の栄養素の吸収を促したりするなど、各種の骨ホルモンが、「若返りホルモン」として注目されています。

骨を健康に保ち、骨量を維持することは、全身の健康にとっても緊急の課題だと考えられます。

＊1 Lee et al, Cell 2007　＊2 Gupte et al, Endocrinology 2014　＊3 Ferron et al, PNAS 2008　＊4 Oury et al, Cell 2011　＊5 Kondegowda et al, Cell Metab 2015　＊6 Mosialou et al, Nature 2017

早期発見が肝心！ まず整形外科を受診！骨密度検査はDXA法が高精度など「骨粗鬆症の診察」受け方ガイド

骨粗鬆症（こつそしょうしょう）は早期発見が肝心です。まずは整形外科を受診して、骨密度の検査を受けましょう。特に検査を急いだほうがいい人は、以下のとおりです。

❶65歳以上の女性と、65歳未満でも危険因子（アルコール1日3単位以上の飲酒*、喫煙、足のつけ根を骨折したことがある家族がいる）がある閉経後から周閉経期（閉経の直前の時期）の女性

❷70歳以上の男性と、50歳以上70歳未満で危険因子のある男性

❸立った状態からの転倒や尻（しり）もちなどの軽い外力で骨折した経験のある人、低骨密度・骨量減少をきたす病気の人、骨密度を低下させる薬を飲んでいる人（37ジペー参照）

検査法のうちMD（エムディー）法は手の骨のX線（レントゲン）撮影画像を用いる方法で、比較的小さな機器で簡便に検査ができますが、早期の骨粗鬆症は発見しにくく、また、治療開始後に、骨粗鬆症の治療薬の効果を判定する目的には適しません。かかとの骨に

＊アルコール1単位＝純アルコールに換算して20グラム。酒類の度数により異なるが、3単位は、日本酒なら3合、ビール中ビンなら3本程度。

骨粗鬆症の検査法

DXA法

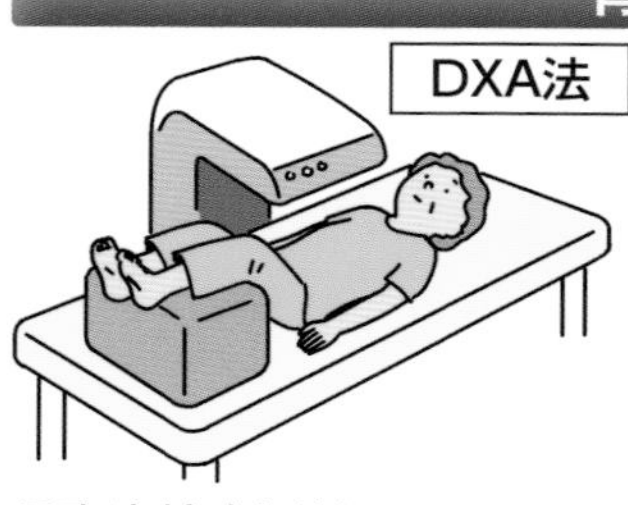

QUS法

MD法

骨密度検査以外にもMRI（磁気共鳴断層撮影）などの画像検査を行い、その結果に基づいて、骨粗鬆症の治療の必要性や治療法について判断する。

超音波を当てて調べるQUS（キューユーエス）法は、健康診断などで骨粗鬆症のリスクを大まかに調べるために用いられるもので、骨粗鬆症の診断や、治療薬の効果を見るためには使えません。

DXA（デキサ）法（二重エネルギーX線吸収法）は精度が高く、全身を調べることが可能で、腰椎（ようつい）（背骨の腰の部分）など骨粗鬆症で骨折しやすい部位の骨密度を直接検査できます。腰椎と、左右どちらかの足のつけ根（大腿骨近位部（だいたいこつ））を合わせて検査するのが望ましいとされています。どの部位の骨密度も大事ですが、大腿骨の骨密度は、あらゆる骨折の可能性を予測するために最も役立つ指標です。腰の痛みなどであおむけに寝られない場合は、利き手と反対側の前腕（ひじから手首まで）の骨密度を測定します。

検査で得られた**骨密度は、閉経後の女性と50歳以上の男性の場合は、若年成人平均値*（YAM（ヤム））と比較して評価**します。閉経前女性と50歳未満の男性は、Zスコア（同年齢の同性と比較）で評価します。なお、高齢者は腰曲がりなどの変形があると、その影響で腰椎の骨密度が高くなりがちなことに注意が必要です。

＊ 20～44歳の健康な人の骨密度の平均値を100とする。YAM=Young Adult Mean。

新薬の登場で治せる時代に！
最新の骨粗鬆症治療ガイドラインに学ぶ「薬の種類・効果・副作用・推奨度」一覧

骨粗鬆症（こつそしょうしょう）と診断されると、薬物療法が始まります。骨粗鬆症は骨を作る働きよりも骨を壊す働きのほうが強まることから起こります。したがって、薬物療法の目的は、両者の働きを調節して骨量を増やし、骨密度を高めて骨折を予防することです。

薬の種類には、大きく分けて**骨形成促進薬**（骨を作る薬）[*1]と**骨吸収抑制薬**（骨の吸収を抑える薬）[*2]、**骨代謝調節薬**（骨の新陳代謝を活発にする薬）があります。

中でも骨形成促進薬の効果は強力で、うまく使用すれば1年間で骨密度を最大15％弱高めることが可能です[*3]。また、骨吸収抑制薬にも10年にわたり骨密度を継続的に増加させる薬があります。従来の骨形成促進薬は、骨形成を強めると同時に骨吸収も強めてしまう弱点がありました。現在は、**骨形成だけを強めて骨吸収を弱め、相乗効果を狙える薬（ロモソズマブ）**も使えるようになっています。ただし、1ヵ月に1度、1年間にわたって定期的に注射をしなければなりません。期間をあけて再投与は可能

＊1 骨芽細胞（骨を作る細胞）により骨が作られるのを促す。
＊2 破骨細胞（骨を壊す細胞）により骨が溶かされるのを抑える。
＊3 Inose et al, JBMR Plus 2022

ですが、現時点では連続して使える期間は1年以内という制限があります。
以下、薬の作用別に、主な骨粗鬆症治療薬について解説します。

❶活性型ビタミンD3薬……食品からとり入れる天然型ビタミンDとは異なり、腎臓（じんぞう）で活性化（体内で利用しやすいようにすること）しなくても作用を発揮するビタミンD。小腸からのカルシウム吸収を促進することでカルシウムの代謝を調節したり、直接骨の新陳代謝を調節したりといった働きがある。ほかの骨粗鬆症治療薬と一緒に処方されることが多く、基礎薬として用いられる。

【副作用】 高カルシウム血症を生じることがある。

❷ビスホスホネート製剤……骨吸収のさいに破骨細胞に取り込まれると破骨細胞を自然消滅（アポトーシスという）させ、骨吸収機能を抑制する。骨折を抑制する作用が認められており、骨粗鬆症に対して世界的に最も広く用いられている薬。内服薬（種類により連日、週1回、月1回服用）、注射（種類により月1回、年1回）がある。

【副作用】 胃腸障害（食道潰瘍（かいよう）など）、急性期反応（服用開始後の関節痛・発熱）、低カルシウム血症のほか、顎骨壊死（がっこつえし）（46ページコラム参照）、非定型大腿骨骨折（だいたいこっせつ）（長期間の使用で起こる足のつけ根よりも下の大腿骨骨折）がある。長期にわたる使用で顎骨壊死や非定型大腿骨骨折のリスクが上昇するため、治療開始後内服では5年、注射では3年で骨折リスクが低いと判断できる場合は、休薬を検討する。

❸選択的エストロゲン受容体調節薬（SERM）……乳房や子宮では抗*エストロゲン作用、骨ではエストロゲンに似た作用を発揮してエストロゲン（女性ホルモン）のバランスを調整し、骨吸収を抑制して骨密度を高める。毎日内服する必要がある。

【副作用】まれではあるが静脈血栓塞栓症、深部静脈血栓症、視力障害がある。

❹抗RANKL抗体薬……破骨細胞の形成や活性化に必要な物質ＲＡＮＫＬの働きを阻害し、破骨細胞を抑えることで、骨の吸収を抑える。半年に1度皮下注射をすれば10年間にわたって継続的に骨密度を増加させる効果がある。

【副作用】低カルシウム血症、顎骨壊死、非定型大腿骨骨折。また、長期間継続した後に中止すると、リバウンド現象で急激な骨折（圧迫骨折の多発）が起こる危険性があるので、中止のさいには注意が必要である。

❺副甲状腺ホルモン（PTH）受容体作動薬……副甲状腺ホルモン（ＰＴＨ）またはＰＴＨ関連タンパク（ＰＴＨｒＰ）の濃度を一時的に高めることで骨芽細胞（骨を作る細胞）を活性化し、骨形成を促進する。強力な骨密度増加・骨折抑制効果があり、骨密度を高めるだけでなく、骨の癒合（骨折後にくっつくこと）を促進する効果があると考えられている。そのため、骨密度が大きく低下している骨粗鬆症や、

＊エストロゲン（女性ホルモン）の作用を阻害する作用。

すでに骨折を起こしているような重症の骨粗鬆症に用いられる。皮下注射（種類により連日、週1回、週2回）で投与する。長期間使用でかえって骨量が減少する恐れがあり、現在、国内では一生のうち72週もしくは2年間しか使用できない。

【副作用】吐きけ、嘔吐（おうと）、頭痛など。過去に骨への影響が考えられる放射線治療を受けた人、高カルシウム血症、骨肉腫（しゅ）、骨に転移したがんの人は使用できない。

❻抗スクレロスチン抗体薬……骨細胞が作るスクレロスチン（骨形成を抑制するメッセージ物質）を抑えることで、骨形成を促進し、骨吸収を抑える。皮下注射を月に1回、12ヵ月連続で行う。現時点では骨密度の増加効果が最も強いと考えられており、骨折を防ぐ効果も大きい。ただし、一部の治験では、狭心症、心筋梗塞（こうそく）、脳卒中などの虚血性心疾患（しっかん）または脳血管障害が多く発生したとされる。そのため、最近1年間にこれらの心血管系の病気を発症した人は使用できない。

【副作用】低カルシウム血症、顎骨壊死、非定型大腿骨骨折、心血管系疾患の可能性。

現在、日本でよく用いられている骨粗鬆症治療薬の推奨度を表にまとめました。これらは年齢や骨密度、骨折の有無など、患者さんの病状に合わせて使い分けられます。自分に合った薬による治療が受けられるよう、主治医とよく相談しましょう。

主な骨粗鬆症治療薬の推奨度

有効性の評価：A=効果がある　B=効果が報告されいてる　C=効果の報告はない

分類			薬の一般名（製品名）	有効性の評価				主な副作用
				骨密度上昇効果	骨折抑制効果			
					椎体	非椎体	大腿骨近位部	
骨代謝調節薬	❶	活性型ビタミンD3薬	アルファカルシドール（ワンアルファ、アルファロールなど）	B	B	B	C	高カルシウム血症
			エルデカルシトール（エディロールなど）	A	A	B	C	
骨吸収抑制薬	❷	ビスホスホネート製剤	アレンドロン酸（フォサマック、ボナロンなど）	A	A	A	A	胃腸障害、低カルシウム血症、顎骨壊死、非定型大腿骨骨折
			リセドロン酸（アクトネル、ベネットなど）	A	A	A	A	
			ミノドロン酸（ボノテオ、リカルボンなど）	A	A	C	C	
			イバンドロン酸（ボンビバなど）	A	A	B	C	
			ゾレドロン酸（リクラスト）	A	A	A	A	
	❸	選択的エストロゲン受容体調節薬（SERM）	ラロキシフェン（エビスタなど）	A	A	B	C	静脈血栓塞栓症、深部静脈血栓、視力障害
			バゼドキシフェン（ビビアントなど）	A	A	B	C	
	❹	抗RANKL抗体薬	デノスマブ（プラリア）	A	A	A	A	低カルシウム血症、顎骨壊死、非定型大腿骨骨折
骨形成促進薬	❺	副甲状腺ホルモン受容体作動薬	テリパラチド（フォルテオ）	A	A	A	C	悪心、嘔吐、頭痛、倦怠感 高カルシウム血症、骨肉腫、骨に転移したがんの人には使用できない
			テリパラチド酢酸塩（テリボン）	A	A	C	C	
			アバロパラチド（オスタバロ）	A	A	A	C	
	❻	抗スクレロスチン抗体薬	ロモソズマブ（イベニティ）	A	A	A	A	低カルシウム血症、顎骨壊死、非定型大腿骨骨折、心血管系疾患の可能性

「骨粗鬆症の予防と治療ガイドライン2015年版」（日本骨粗鬆症学会、日本骨代謝学会、骨粗鬆症財団）より。ただし、ゾレドロン酸とロモソズマブは日本整形外科学会骨粗鬆症委員会　骨粗鬆症性椎体骨折診療マニュアルワーキンググループにおける評価、アバロパラチドについては治験データに基づく著者の私見。

コラム 骨粗鬆症薬の副作用「顎骨壊死（がっこつえし）」はまれだが怖い合併症。骨粗鬆症の治療開始前に歯科治療をすませておくことが望ましい。

骨粗鬆症治療薬、特に**骨吸収を抑える薬の副作用**として起こる合併症に、薬剤性顎骨壊死があります。「顎骨」はあごの骨、「壊死」は体の一部の細胞や組織が死滅することをいいます。侵襲的な歯科治療（抜歯、歯肉の切除、インプラント手術など）をした後で、あごの骨の組織や細胞が局所的に死滅し、骨が腐った状態になることです。あごの骨が腐ると、口の中にもともと生息する細菌による感染が起こり、あごの痛み、腫れ、うみが出るなどの症状が現れ、進行すれば皮膚に穴があいたり、全身状態が悪化することもあります。

有名な合併症なので、骨粗鬆症の治療をしていると歯科治療ができないと思っている人もいるかもしれません。しかし、顎骨壊死が起こることは、骨折が起こることに比べれば非常にまれです。例えば、骨吸収抑制薬である**ビスホスホネート製剤による顎骨壊死の発症率は、0.001〜0.1%程度**とされています。

骨吸収を抑える薬を使用中の患者さんが抜歯などをするさい、薬を中止するかどうかについては、いまだに議論があります。ただし、抜歯のさい休薬することの利益ははっきりしておらず、また、休薬することの害もはっきりしていません。

休薬のために抜歯などの歯科治療が延期されることで起こる害や、休薬による骨折リスクの上昇などが考えられることから、最新のポジションペーパー* では、原則的に、抜歯時に骨吸収抑制薬を休薬しないことが提案されています。その一方で、顎骨壊死の危険性が高い患者さんの、ごく短期間の休薬を完全に否定するほどの医学的な根拠もありません。

骨吸収抑制薬を処方されている骨粗鬆症の患者さんが抜歯などの治療を受けるときは、**休薬の是非について、歯科医および整形外科医とよく相談**してください。また、歯科インプラントを入れるさいには、骨粗鬆症の治療薬だけでなく、**ほかの顎骨壊死の危険因子（ステロイド薬の使用や糖尿病、生活習慣など）を考慮**し、実施するかどうかを判断する必要があります。これも担当医とよく相談しましょう。

最も望ましいのは、**骨粗鬆症の治療をする前に歯科を受診して、歯のクリーニングなどの予防的処置や治療をすませておくこと。**骨粗鬆症の治療開始後に抜歯などをしなくていいように、しっかりと準備をしておくことです。

*「薬剤関連顎骨壊死の病態と管理：顎骨壊死検討委員会ポジションペーパー 2023」（日本口腔外科学会、日本骨粗鬆症学会、日本病院薬剤師会、日本歯科放射線学会、日本臨床口腔病理学会、日本骨代謝学会としての意見をまとめた書類）

第3章

骨量不足を指摘されたら毎日補いたい「骨を強化し骨折を防ぐ４大栄養」とベストなとり方

「粗食」を意識するあまりたんぱく質など骨の重要栄養が不足し骨密度の低下を許す人が中高年に多い

「先生、骨のためには、どんなものを食べればいいですか?」

これは、私がよく外来で患者さんたちに聞かれる質問の一つです。

骨粗鬆症(こつそしょうしょう)の患者さんにとって、骨折を予防するためにも食事は重要です。骨密度の低下には、栄養不足が大きく影響するからです。

骨粗鬆症になる人が多い中高年は、肥満、高血圧などの生活習慣病のリスクが高まる年代でもあります。そのため「食べすぎてはいけない」と食事量を控える人も多く、粗食になるあまり、骨に必要な栄養素まで不足する事態を招きがちです。ダイエットのためにと食事量を過度に減らすことも、栄養不足につながります。

骨粗鬆症の人に特に**重要な栄養素は4つ**。**カルシウム**、**ビタミンD**、**たんぱく質**、そして**マグネシウム**です。

「骨といえばカルシウム」を連想するように、カルシウムは骨を構成する重要な栄養素です。私が臨床で診ている範囲では、血液検査で低カルシウム血症（血液中に含まれるカルシウムが少ない状態）と診断されるほどカルシウムが極端に不足している患者さんは少ない印象ですが、不足がないようにとる必要があります。一方、ビタミンDが欠乏している高齢の患者さんは非常に多く見られます。私が検査した範囲では、**約8割の患者さんでビタミンDが不足**していました。ビタミンDは小腸からのカルシウムの吸収をよくし、骨の石灰化*1を促します。したがって、骨粗鬆症の患者さんは、カルシウムだけでなくビタミンDをとることが非常に重要です。そのため、治療としてビタミンDの薬を処方することもあります。ただし医師が外来で処方できる医療用の活性型ビタミンDは、食品からとる天然型のビタミンDより作用が強力で、高カルシウム血症による腎機能障害などの副作用の心配が高まります。できれば食品から必要量をとるのが望ましいのですが、食事で不足するようなら、**サプリメント**を上手に利用してもいいでしょう。このほか、カルシウムとともに骨を構成するたんぱく質、骨の形成や維持に重要な働きをするマグネシウムも、欠かせない栄養素です。

　どんな栄養素にもいえることですが、とりすぎは禁物です。**各栄養素の摂取基準として、厚生労働省から推奨量*2や目安量が示されています**。食事でも、サプリメントを利用する場合でも、推奨量や目安量を大きく超えない摂取量を心がけてください。

＊1 カルシウムがコラーゲン（たんぱく質の一種）に沈着して骨を形成すること。
＊2 推奨量：ある性・年齢階級に属する人々のほとんど（97～98%）が1日の必要量を満たすと推定される1日の摂取量。目安量：推奨量などを算定するのに十分な科学的根拠が得られない場合に、ある性・年齢階級に属する人々が、良好な栄養状態を維持するのに十分な量。

4大栄養①カルシウム

骨の主要成分

体内には成人の男性で約1000グラムのカルシウムがあり、その99%は骨と歯に存在しています。骨は生涯を通じて常に新陳代謝（古い骨が分解・吸収され、新しい骨が作られること。リモデリングともいう）が行われているため、カルシウムが適切に供給されないと骨密度が低下し、骨がもろくなります。厚生労働省では、カルシウムは50歳以上の男性で1日当たり750ミリグラム、女性で650ミリグラムをとるよう[*1]推奨しています。骨粗鬆症の人は骨密度を高めるために、これよりも多めの1日当たり[*2]**700〜800ミリグラム程度をとるといい**と考えられます。ところが実際は、日本人の[*3]1日当たり平均摂取量は約505ミリグラムで、**やや不足ぎみ**です。

日常生活でどれくらいカルシウムがとれているか、次ページの**「カルシウム自己チェック表」**でチェックしてみてください。もし不足していたら、牛乳、チーズ、ヨーグルトなどの乳製品、骨ごと食べられる**小魚**、**大豆製品**（豆腐や納豆など）、**野菜**、**海藻**といったカルシウムが豊富に含まれる食品を意識して取り入れましょう。特に乳製品はカルシウムの吸収率がよく、一度にとれる量も多いのでおすすめです。食事だけで難しければ、1日当たり**200〜3000ミリグラム程度をサプリメントで補うことを考えて**

＊1「日本人の食事摂取基準（2020年版）」（厚生労働省）　＊2「骨粗鬆症の予防と治療ガイドライン2015年版」（日本骨粗鬆症学会、日本骨代謝学会、骨粗鬆症財団）による推奨摂取量。　＊3「令和元年国民健康・栄養調査報告」（厚生労働省）

カルシウム自己チェック表＊

	質問	0点	0.5点	1点	2点	4点
❶	牛乳を毎日どれくらい飲みますか（1回量：コップ1杯）	ほとんど飲まない	月1～2回	週1～2回	週3～4回	ほとんど毎日
❷	ヨーグルトをどれくらい食べますか?（1回量：ヨーグルト1個）	ほとんど食べない	週1～2回	週3～4回	ほとんど毎日	ほとんど毎日2個
❸	ほかの乳製品をどれくらい食べますか?（1回量：チーズ1切れ、スキムミルク大さじ山盛り1杯）	ほとんど食べない	週1～2回	週3～4回	ほとんど毎日	2種類以上毎日
❹	豆類をどれくらい食べますか?（1回量:納豆1パック、煮豆小鉢1杯、きな粉大さじ山盛り2杯）	ほとんど食べない	週1～2回	週3～4回	ほとんど毎日	2種類以上毎日
❺	大豆製品をどれくらい食べますか?（1回量：豆腐1／4丁、がんも小1個、厚揚げ小1枚）	ほとんど食べない	週1～2回	週3～4回	ほとんど毎日	2種類以上毎日
❻	青菜をどれくらい食べますか?（1回量：ホウレンソウ、コマツナ、チンゲンサイなどおひたしで小鉢1杯）	ほとんど食べない	週1～2回	週3～4回	ほとんど毎日	2種類以上毎日
❼	海藻類をどれくらい食べますか?（1回量：ヒジキ煮物小鉢1/2杯）	ほとんど食べない	週1～2回	週3～4回	ほとんど毎日	2種類以上毎日
❽	骨ごと食べられる魚をどれくらい食べますか?（1回量：シシャモ3尾、丸干しイワシ1.5尾）	ほとんど食べない	月1～2回	週1～2回	週3～4回	ほとんど毎日
❾	小魚類をどれくらい食べますか?（1回量：シラス干し1つかみ、干しサクラエビ大さじ山盛り1杯）	ほとんど食べない	週1～2回	週3～4回	ほとんど毎日	2種類以上毎日
❿	1日に3食食べますか?	1日1～2食（1点）	欠食が多い（2点）	きちんと1日3食（3点）		

❶～❿の合計点でチェック　合計点

20点以上	よい
15～19.5点	少し足りない
10～14.5点	足りない
9.5点以下	かなり足りない

カルシウム豊富な食品例

食品100グラム当たりのカルシウム量（ミリグラム）	
牛乳（100グラム＝97ミリリットル）	110
プロセスチーズ	630
たたみいわし	970
木綿豆腐	93
コマツナ／生	170

（文部科学省「食品成分データベース」より作成）

もいいかもしれません。

ただ、カルシウムは一度にたくさんとっても、一定量以上は吸収されません。血液中にだぶつくと腎結石などを招く恐れもあるので、とりすぎには注意が必要です。急激に血中カルシウム濃度が上昇するのを防ぐため、**一度に500ミリグラム以上をとらない**ようにしてください。

＊出典：石井ら、整・災外 2018より一部改変

4大栄養② ビタミンD

カルシウムの吸収を助ける

ビタミンDは小腸でのカルシウム吸収を助け、骨密度を増加させる働きがあります。確かに強い骨作りにはカルシウムは重要な栄養素ですが、ビタミンDを一緒にとることで、カルシウムを効率的に吸収することができ、骨密度の上昇や骨折の予防がさらに効果的に行えるのです。骨粗鬆症(こつそしょうしょう)の患者さんにとって、ビタミンDは非常に重要な栄養素といえます。

厚生労働省はビタミンDの摂取基準として、成人男女ともに1日当たりの目安量[*1](一定の栄養状態を維持するのに十分な量)を8・5マイクログラム、耐容上限量(過剰摂取による健康障害を未然に防ぐ量)は100マイクログラムとしています。

ところが、日本人にはビタミンDが不足しています。日本人の実際の1日当たり平均摂取量[*2]は約6・9マイクログラムにとどまり、明らかに不足状態にあるといえます。

そればかりか、高齢者の脊椎疾患(せきついしっかん)の患者さんを対象

ビタミンDが豊富な食品例

食品100グラム当たりのビタミンD量(マイクログラム)

シロサケ(生/焼き)	32.0/39.0
クロマグロ/生/赤身	5.0
サバ(生/焼き)	5.1/4.9
卵黄/生	12.0
卵白/生	0
キクラゲ(乾/ゆで)	85.0/8.8
マイタケ(生/ゆで)	4.9/5.9

(文部科学省「食品成分データベース」より作成)

＊1「日本人の食事摂取基準(2020年版)」(厚生労働省)。ビタミンDは推奨量を算定するのに十分な科学的根拠が得られないので、目安量が示されている。
＊2「令和元年国民健康・栄養調査報告」(厚生労働省)

に私が行った調査でも、約8割の人でビタミンDが欠乏しているという結果が出ています。骨の健康を考えるうえで、骨粗鬆症の患者さんは一般の人以上にビタミンDを多めに、**1日当たり15~20マイクログラム程度とることが望ましい**＊のですが、残念ながら全く足りていないのが現実です。

ビタミンDは日光を浴びると皮膚で合成されるという性質があるので、**1日15分程度の適度な日光浴**もおすすめです。ただ、日光によるビタミンDの合成は、季節や地域によっても差が生じます。日常的には、やはり食事から必要な量のビタミンDをとる必要があります。

ビタミンDが豊富に含まれる食品には、サケ、マグロ、サバなどの**魚**や、鶏卵のうち**卵黄**、キクラゲやマイタケなどの**キノコ**類があります。これらの食品を組み合わせ、毎日の食事に取り入れるようにしましょう。

通常の食事のみでビタミンDを15~20マイクログラム摂取することが難しい場合は、**10マイクログラム程度はサプリメントで補うのもいい**でしょう。

ただ、肝機能や腎(じん)機能が低下していると、食事やサプリメントで天然型ビタミンDをとるだけではカルシウム吸収を促すには不十分なことがあります。肝機能や腎(じん)機能が低下している人は、医師に相談してください。

＊「骨粗鬆症の予防と治療ガイドライン2015年版」(日本骨粗鬆症学会、日本骨代謝学会、骨粗鬆症財団)による推奨摂取量

丈夫な骨や筋肉に不可欠

骨にはたんぱく質も必要だというと、ピンとこないかもしれません。たんぱく質の一種のコラーゲンは、カルシウムやマグネシウムなどのミネラルとともに骨を構成する主要な成分で、骨に強度と柔軟性を与えます。骨を鉄筋コンクリートにたとえると、コンクリート部分がカルシウムなどのミネラル、鉄筋部分がたんぱく質（コラーゲン）に当たります。

カルシウムの摂取量に不足がなければ、十分なたんぱく質を含む食事は、骨量の増加と骨折の減少に役立ちます。逆にたんぱく質が不足すると骨量が減少し、骨折のリスクが高まるといえます。

たんぱく質は、骨以外にも、さまざまな身体組織を作ったり修復したりするために必須（ひっす）の栄養素です。特に筋肉の主要な材料であり、運動能力を維持・向上して転倒を防止するためには欠かせません。不足すれば筋肉が減少して体のバランスを取る力が弱まり、転倒・骨折を招く原因となります。ま

骨を構成する成分

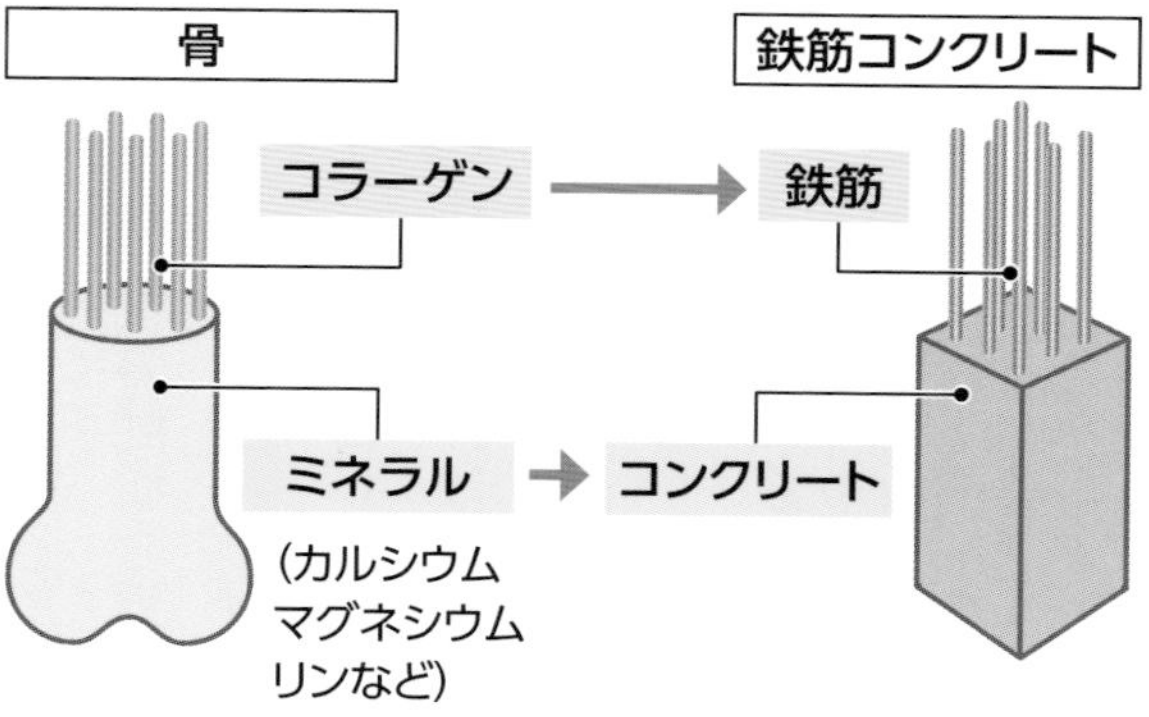

骨
鉄筋コンクリート
コラーゲン → 鉄筋
ミネラル → コンクリート
（カルシウム
マグネシウム
リンなど）

た、各種の手術をするさいにも、たんぱく質不足の低栄養状態だと、術後の成績を悪くする要因になるとされています。

たんぱく質の1日当たりの推奨量[*1]は男性が50～64歳で65グラム、65歳以上で60グラム、女性は50歳以上で50グラムとされています。75歳以上の日本人の1日当たり平均摂取量[*2]は男性で75・9グラム、女性で64・9グラム、80歳以上の女性だけを見ても61・8グラムとなっており、通常の食事をしていれば、大きな不足はないと思われます。

ただ、やせ形で筋肉量が少ない人や、食が細い人は、たんぱく質が不足していないか注意が必要です。また、肥満や高血圧、動脈硬化などの生活習慣病があると、粗食を心がけるあまり、たんぱく質不足になる恐れがあるので、これも注意が必要です。

赤身肉、**鶏肉**、**魚**、**卵**や**乳製品**などは、動物性たんぱく質の優れた供給源です。**大豆製品**（豆腐や納豆など）や**マメ科植物**（レンズ豆、インゲン豆など）、**穀物**、**ナッツ類**からは、植物性たんぱく質をとることができます。中でも、たんぱく質とカルシウムの両方が豊富に含まれる乳製品は、骨の健康のためには一石二鳥の食品です。

たんぱく質が豊富な食品例

食品100グラム当たりのたんぱく質量（グラム）

鶏むね／皮なし／焼き	38.8
豚ロース／焼き	26.7
牛もも／焼き	27.7
シロサケ／焼き	29.1
牛乳（100グラム＝97ミリリットル）	3.3
木綿豆腐	7.0

（文部科学省「食品成分データベース」より作成）

＊1「日本人の食事摂取基準（2020年版）」（厚生労働省）
＊2「令和元年国民健康・栄養調査報告」（厚生労働省）

4大栄養④

マグネシウム

骨を保護する

体内にあるマグネシウムは約20〜30グラム、そのうち約60%が骨や歯に含まれ、骨を保護して折れにくくする役割があります。骨の組織の形成と維持に必要な酵素を活性化したり、カルシウムやビタミンDのバランスを調節したりと、骨の健康には欠かせません。

1日当たりの推奨量[*1]は成人男性で320〜370ミリグラム、成人女性で260〜290ミリグラムですが、実際の摂取量[*2]は平均で247ミリグラムと不足ぎみです。

カルシウムとマグネシウムはおおよそ2対1の割合でとるといいとされています。マグネシウムが不足する場合は、1日100ミリグラム程度をサプリメントで補ってもいいかもしれません。

なお、マグネシウムはとりすぎても余分は腎臓（じんぞう）で尿とともに排泄（はいせつ）されますが、腎機能が低下していると排出しきれずに高マグネシウム血症[*3]を起こす恐れもあるので、注意が必要です。

マグネシウム豊富な食品例

食品100グラム当たりのマグネシウム量（ミリグラム）

食品	マグネシウム量
焼きノリ	300
アサリ（生／蒸し）	92／94
シロサケ（生／焼き）	28／35
玄米（米／飯）	110／49
ホウレンソウ／ゆで	40
木綿豆腐	57

（文部科学省「食品成分データベース」より作成）

＊1「日本人の食事摂取基準（2020年版）」（厚生労働省）　＊2「令和元年国民健康・栄養調査報告」（厚生労働省）　＊3 症状は吐きけ、眠け、筋力低下、低血圧、徐脈（脈が異常に遅くなること）など。重症になると心停止に至ることもある。

第4章

骨を作る骨芽細胞を活性化して骨密度を安全に増やし骨を強化できる「医大式1分体操」

骨密度を高めるには骨への適度な衝撃負荷が重要で、「骨強化ウォーク」「ゆっくりジョギング」が安全で効果大

骨は骨芽細胞（骨を作る細胞）と破骨細胞（骨を壊す細胞）によって常に新しく生まれ変わっていますが、近年、骨の9割を占める骨細胞という細胞が運動による衝撃を感知すると、骨細胞が作るスクレロスチンという物質が抑制され、その結果、骨芽細胞が活性化することがわかってきました。また、スクレロスチンには骨の吸収を促進する作用もあるので、骨密度を増やすには、運動によって骨に適度な刺激を与え、スクレロスチンを少なくすることが重要です。**手軽で効果が大きいのは、地面に着地するさい骨に衝撃が伝わるウォーキングやジョギングです。**

週に6時間以上サイクリングかランニングをする男性（20～50代）を比較した研究で、地面からの衝撃をあまり受けないサイクリングをする人よりも、衝撃を受けるランニングをする人のほうが、骨粗鬆症のリスクが明らかに小さかったという報告があります[*]。安全にできる「骨強化ウォーク」や「ゆっくりジョギング」で、骨に適度な刺激を与えましょう。

＊ Rector et al, Metabolism. 2008

骨強化ウォーク

骨密度アップ

疲れたらペースを落としてゆっくり歩く。転倒や事故に注意。

最初の目標は
1日
約30分

週2～3回
が目安

顔を上げ視線は少し遠くを見る

こまめに水分補給をする

背すじを伸ばす

かかとで着地、爪先で蹴り出す

かかとで着地

かかとで紙コップをつぶすようなつもりで歩くと効果が高まる

ゆっくりジョギング

骨密度アップ

隣の人と笑って話ができる程度のゆっくりとしたペースで走る。疲れたら歩いたり立ち止まったりして休み、無理をしない。転倒や事故に注意。

最初の目標は
1日
約15分

週2～3回
が目安

こまめに水分補給をする

顔を上げ視線は少し遠くを見る

背すじを伸ばし肩の力は抜く

自然な呼吸
自然な腕振り

小さな歩幅で

指のつけ根で着地

地面は強く蹴らなくていい

指のつけ根で紙コップをつぶすようなつもりで走ると効果が高まる

簡単！これなら続く！
外出せずとも骨密度を高める簡単1分体操
「縄なし縄跳び」

骨密度を高めるための運動は、骨の長軸方向（縦方向）に刺激が加わるものがいいとされています。これにうってつけなのが縄跳(なわと)びです。ジャンプして着地するさい、骨に縦方向の刺激が伝わるからです。しかし、縄跳びはけっこうきつい運動なので、それまで運動習慣のない人がいきなり始めると、長続きしないかもしれません。うまく跳べず縄が足にひっかかれば、転倒の心配もあります。そこでおすすめなのは、**「縄なし縄跳び」**です。これなら室内でもでき、縄が足にかかる心配もないので、高く跳ぶ必要がなくらくに行えます。

ジャンプするのが怖い人は、**「かかと落とし」**から始めてみましょう（上図参照）。イスの背につかまって立った姿勢でかかとを上げ、ストンと落とすだけで骨に縦方向の刺激が伝わり、骨密度を高めることができます。

かかと落とし

イスの背などにつかまって立ち、かかとを上げてはストンと落とす

骨密度アップ

縄なし縄跳び

骨密度がYAM60%以下など著しく低い人は、必ず主治医に相談してから行うこと

1 背すじを伸ばし、足をそろえて立つ。縄跳びの縄を両手に持っているつもりで構える。

2 縄跳びをしているつもりで手首を回しながら、その場で垂直にジャンプする。

3 軽くひざを曲げて柔らかく着地する

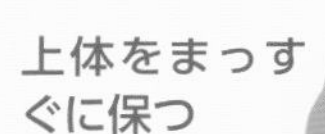

転倒に注意する

ひざや足首を傷めないよう着地したら軽く曲げる

足裏で紙コップをつぶすようなつもりで跳ぶと効果が高まる

爪先が床から少し離れる程度でいい

❷～❸を1～2秒に1回くり返して約1分

1日2～3セットが目安

＊ 20～44歳の健康な人の骨密度の平均値を100とする。YAM＝Young Adult Mean。

骨密度を高めるばかりか
体幹・足腰・バランス感覚を一挙に鍛えて
転倒防止にも役立つ簡単1分体操「四股踏み」

大相撲の力士が、毎日欠かさず行う稽古(けいこ)に四股(しこ)があります。これを応用した**「四股踏み」**は、骨を刺激して骨密度を増やす運動として理想的です。

骨密度アップ以外にも、さまざまな効果が期待できます。例えば、両足を開いて腰を落とした構えの姿勢を取ることで、**足裏で地面を踏みしめる力を強化**することができます。足を広く開いて片足を上げる動作は、**股関節(こ)を柔軟**にするのに役立ちます。また、足を持ち上げるための**お尻(しり)や太ももの筋肉、姿勢を保つ体幹（胴体）の筋肉を鍛える**こともできます。同時に、**全身のバランス感覚も身につける**ことができます。これらはすべて、**立ち歩くときに安定した姿勢を保ち、転倒・骨折を予防するために役立つ**ものばかりです。

力士のように高々と足を上げられなくてもかまいません。少しだけ足を上げてストンと下ろすだけで十分効果があるので、毎日の習慣にするといいでしょう。

骨密度アップ・バランス感覚を鍛える　四股踏み

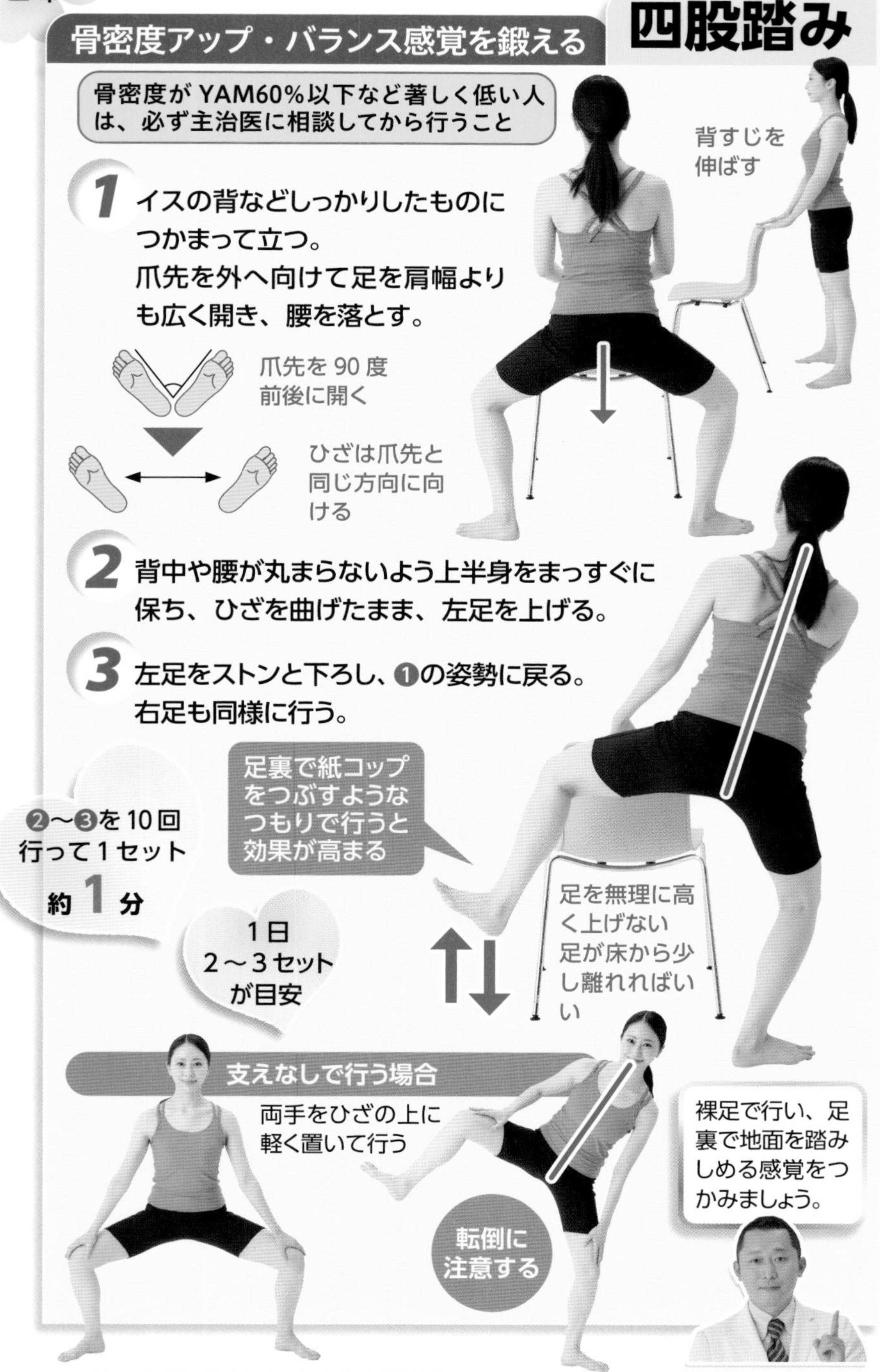

骨密度が YAM60％以下など著しく低い人は、必ず主治医に相談してから行うこと
背すじを伸ばす
1 イスの背などしっかりしたものにつかまって立つ。
爪先を外へ向けて足を肩幅よりも広く開き、腰を落とす。
爪先を 90 度前後に開く
ひざは爪先と同じ方向に向ける
2 背中や腰が丸まらないよう上半身をまっすぐに保ち、ひざを曲げたまま、左足を上げる。
3 左足をストンと下ろし、❶の姿勢に戻る。右足も同様に行う。
足裏で紙コップをつぶすようなつもりで行うと効果が高まる
❷〜❸を10回行って1セット
約1分
1日 2〜3セットが目安
足を無理に高く上げない 足が床から少し離れればいい
支えなしで行う場合
両手をひざの上に軽く置いて行う
転倒に注意する
裸足で行い、足裏で地面を踏みしめる感覚をつかみましょう。

＊ 20 〜 44歳の健康な人の骨密度の平均値を100とする。YAM＝Young Adult Mean。

足腰の踏ん張る力を鍛えて太ももを高効率で強化し折れやすい大腿骨を守る簡単1分体操「らくらくスクワット」

骨粗鬆症の骨折で、背骨の圧迫骨折（椎体骨折）に次いで2番めに多いのは、足のつけ根の太ももの骨の骨折**「大腿骨近位部骨折」**です。股関節周囲の筋肉を強化して、骨折から大腿骨を守りましょう。

股関節を動かすのは、太ももの骨と骨盤や背骨を結ぶ筋肉群です（96ページの図参照）。これらの筋肉を含む下半身を一挙に強化できる運動としては、スクワットがあります。筋トレの代名詞ともいえるスクワットですが、本格的に行うと、かなりきつい運動です。そこで、イスの背などにつかまって体を支えながら、軽く腰を落としていく**「らくらくスクワット」**をやってみましょう。

体を支えながら行うので転倒の心配もなく、筋力が弱い人でもらくらくに行うことができます。股関節に負荷をかけずに股関節周囲や太ももの筋肉を効率よく鍛えられ、自分の体重を支えて踏ん張る力がつき、転倒予防にも役立ちます。

踏ん張る力と太もも強化 らくらくスクワット

症例報告

4ヵ月に4回の圧迫骨折で一時車イスになった87歳女性は、骨粗鬆症治療と骨強化ウォークで骨密度が60％→70％に回復し元気に歩ける

杉田久代さん（87歳・仮名）は1年前の4月に腰椎の圧迫骨折を起こして以来、私の診療先を訪れるまでの4ヵ月間に、計3回の椎体骨折と近くの整形外科で2回の椎体形成術（BKP。138ページ参照）を経験していました。腰椎の骨密度はYAM*60％と低く、初診の3日後には4ヵ所めの椎体骨折まで起こりました。手術をすれば痛みは取れますが、このままでは手術をしても骨折が続きかねません。そこで**胸椎から腰椎までを硬性コルセットで固定**し、**骨代謝調節薬の服用**と月に1度の**骨形成促進薬の注射**による骨粗鬆症の治療を開始。軽いスクワットなど下肢の筋力強化や、骨を強めるため**できるだけ歩く**ことを指導しました。結果、骨折の連鎖は止まり、初診から1年後には**腰椎の骨密度が70％にアップ**。初診時は長く歩けずに車イス生活でしたが、今では骨折部が癒合してコルセットも取れ、**杖をつきながらも元気に歩いて外出**できています。今後は骨折の再発を防ぐための体操などの運動療法を始められそうです。

＊ 20～44歳の健康な人の骨密度の平均値を100とする。YAM=Young Adult Mean。

症例報告

いつのまにか骨折後に骨粗鬆症治療と骨強化ウォークを始めたら腰痛が解消し、59％の骨密度が右肩上がりに76％に増えた

竹田さんの骨折部位と骨密度の推移

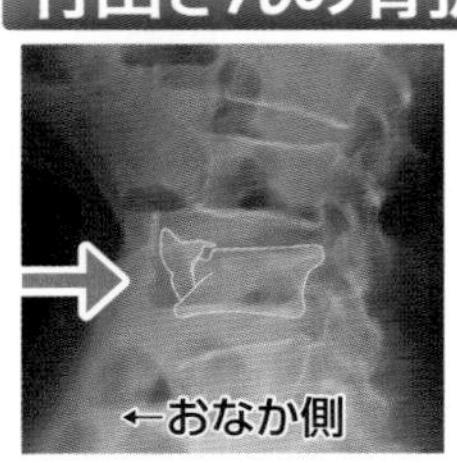

圧迫骨折した第４腰椎の椎体がへこみ、おなか側へ膨らんでいる。

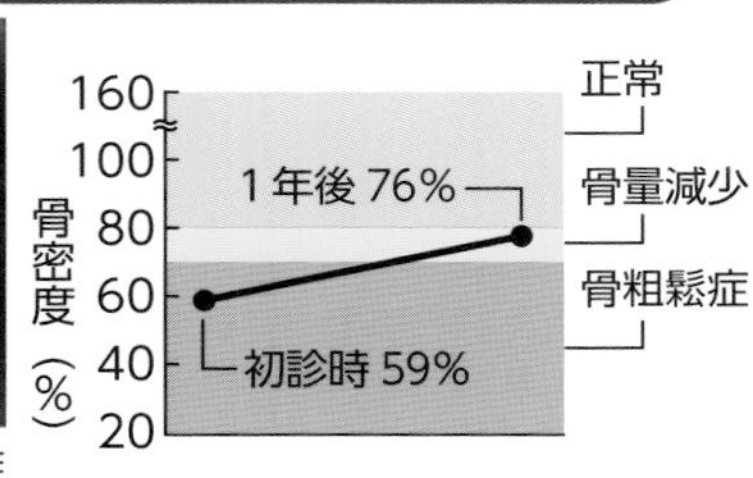

骨粗鬆症の薬物療法と運動療法で骨密度が増え、正常値も目前に。

竹田勇一さん（仮名・76歳）は、これといって思い当たる原因もなく腰痛になり、私の診療先を訪れました。レントゲン（X線）検査の結果、第４腰椎（背骨の腰の部分の上から４番めの骨）が圧迫骨折（椎体骨折）を起こしていることが判明しました。骨密度を調べると腰椎でYAM＊**59％**と低く、放置すれば続けて骨折する恐れがあるため、軟性コルセットで腰部を固定し、月１回の骨形成促進薬の注射による骨粗鬆症の治療を開始。すると、３ヵ月後には**骨折部が癒合**（くっつくこと）し、**腰痛が解消**して、骨強化のためにウォーキングも始めました。その後も骨密度は右肩上がりに増えていき、治療開始から1年後の現在は**76％**にまで改善。さらに骨を強め、椎体骨折の再発を防ぐために、1分体操などを始めています。

＊ 20～44歳の健康な人の骨密度の平均値を100とする。YAM=Young Adult Mean。

症例報告

クシャミで圧迫骨折を起こすほど衰えた骨が骨粗鬆症治療と骨強化ウォークで強まり、49%の骨密度が67%に回復し杖なしで5000歩ける

林さんのレントゲン（X線）画像

初診時

5年後

左：3ヵ所の圧迫骨折があった。右：骨が癒合し、いい姿勢を維持している。

林美代（はやしみよ）さん（仮名・74歳）は、**クシャミをした拍子に腰に痛み**を感じ、近くの整形外科を受診。腰椎（ようつい）（背骨の腰の部分）の圧迫骨折（椎体（ついたい）骨折）と診断され、私の診療先を紹介されました。

くわしく検査をすると、**第2・第4・第5腰椎と、3ヵ所も圧迫骨折**が起こっていました。骨密度は大腿骨頸部（だいたいこつけいぶ）でYAM（ヤム）*49%とかなり低かったので、硬性コルセットを装着して、半年に1度の骨吸収抑制薬の注射、毎日のビタミンDとカルシウムの内服で骨粗鬆症（こつそしょうしょう）の治療を始め、骨を強くするためウォーキングも指導しました。その結果、骨密度は順調に増えて続発骨折もなく、3ヵ月後には**骨折部もしっかりと癒合（ゆごう）**しました。初診から5年後の現在では骨密度が**67%**に改善、杖（つえ）を使う必要もなく、**1日おきに3000～5000歩を歩いている**そうです。

＊ 20～44歳の健康な人の骨密度の平均値を100とする。YAM=Young Adult Mean。

第5章

骨粗鬆症の人や
圧迫骨折経験者が毎日悩む
「今ある背中痛・腰痛」
をなくす
医大式「背中腰ほぐし」

今ある背中痛・腰痛をなくすには背もたれと背中の間に硬式テニスボールを挟む「背中腰ほぐし」が簡単一番

背骨が変形して前かがみの姿勢がクセになると、背中や腰に痛みを感じることが多くなります。前かがみの姿勢が続くと体が前に倒れないようにバランスを取らなければなりませんが、このとき背中や腰の筋肉に力が入り、緊張状態を長時間強いられることになります。こうしたことが絶えずくり返されると、**背中や腰の筋肉や筋膜（筋肉を包む膜組織）が癒着（ゆちゃく）したり、硬直したり、炎症を起こしたりして、痛みやこりが生じます。**筋肉や筋膜の緊張・硬直、癒着からくる背中痛・腰痛は、背中や腰をほぐして血流をよくすればスッと和らげることができます。おすすめは、硬式テニスボール一つで、イスに座ったまま背中や腰をほぐせる**「背中腰ほぐし」**です。

背もたれのあるイスに腰かけて、体と背もたれの間にテニスボールを挟んでおくだけで、手が届きにくい背中や腰も簡単にほぐすことができるのと同時に、いい姿勢を維持しようとする意識も働くので、腰痛の予防にもなります。

背中痛・腰痛をなくす　背中腰ほぐし

1 背もたれのあるイスに深く腰かける。痛みを感じる部分に硬式テニスボールを当て、背もたれと背中・腰の間で挟む。

2 上体を軽く動かして、痛む部位をボールでほぐす。また、ボールを挟んだままにして、正しい姿勢を保つことを意識する。

ボールを挟んでいるといい姿勢を保とうと意識するようになり、座り仕事での腰痛予防にも役立ちます。

ボールを当てる位置をいろいろ変えてみて、気持ちいいと感じるポイントを探しましょう。

あごを上げずに上体をまっすぐに保つ

ボールを支点にして上体をモゾモゾ動かすと筋肉の緊張・硬直がほぐれ、痛みが和らぐ

痛みのある部位1ヵ所につき 2〜3分間 行う

2〜3分間行っても痛みが取れない場合は、その部位はさけて行う

背骨の骨と骨の間の硬直を取り
背骨全体の柔軟性を高めて今ある痛みを除く
「ゆっくりおじぎ」

背骨は1本の棒ではなく、椎骨（ついこつ）と椎間板という軟骨組織とが積み重なった積み木のような構造をしています。この構造だからこそ背骨はしなやかに動き、首から腰までを自在に曲げたり反らしたり、ねじったりする柔軟な動きが可能になります。

ところが、背中や腰のどこかに硬さや痛みがあると、本来は柔軟に動くはずの背骨の硬直を招き、そこからまた痛みが生じるという悪循環に陥ってしまいます。背骨の柔軟性が低下すると、下のほうの物を取る、靴をはくといった日常生活の動作で**背骨全体がしなやかに曲がらず、比較的動かしやすい背骨の一点だけが曲がって負担が集中してしまい、痛みや背骨の圧迫骨折（椎体〈ついたい〉骨折）の原因となります。**

これを防ぐために**「ゆっくりおじぎ」**で背骨全体の柔軟性を高めましょう。立ってゆっくりとおじぎをするだけですが、首から背中、腰までの背骨の硬直が取れ、今ある痛みを除く効果も期待できます。

背骨の柔軟性を高める

ゆっくりおじぎ

1 爪先を正面に向け、両足を腰幅に開いて立つ。

2 ヘソを見るつもりで顔を下に向ける。

3 息を止めないよう注意しながら、椎骨を一つ一つ動かして、首→胸→腰と、上から順にゆっくり曲げていく。

4 頭のてっぺんが床に向くほどまで背中を丸めたところで、ゆっくりと２～３回呼吸する。

5 息を止めないよう注意しながら、椎骨を一つ一つ動かして、腰→胸→首と、下から順にゆっくりと体を起こしていき、❶の姿勢に戻る。

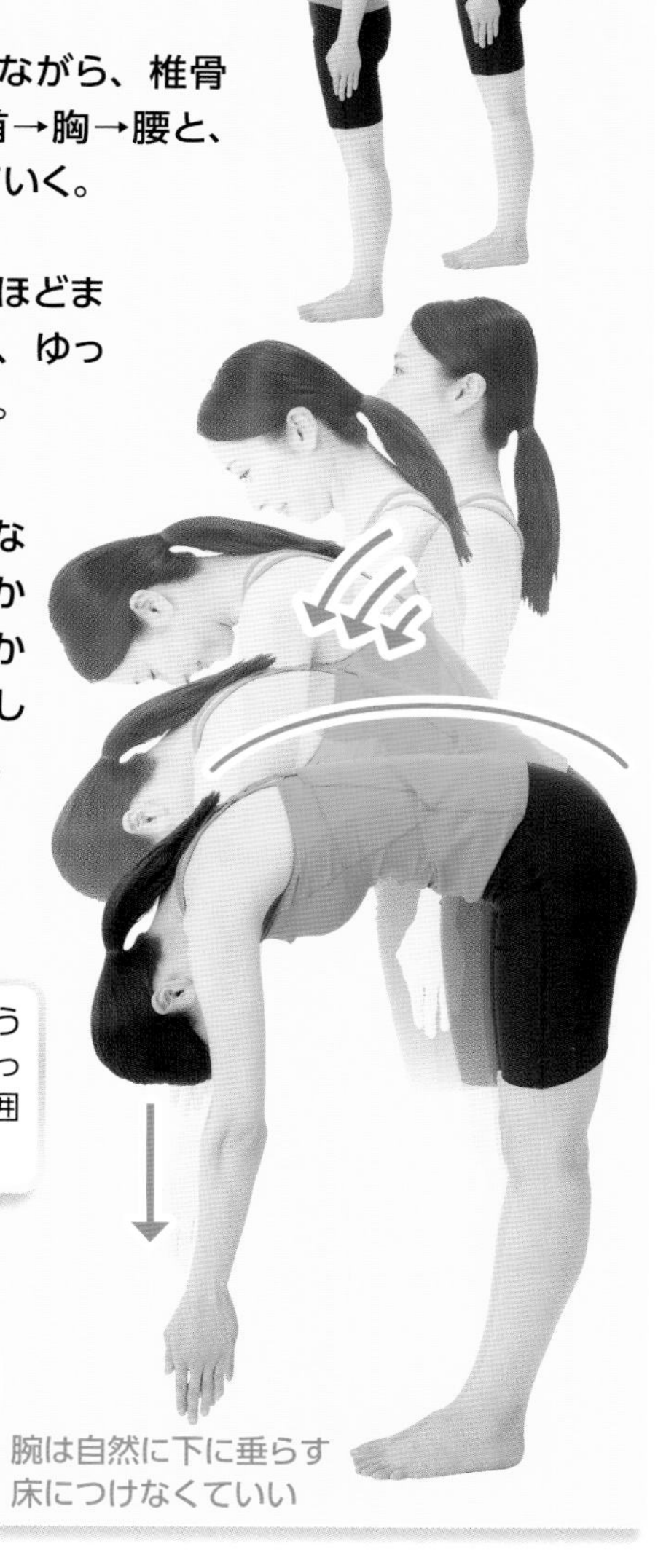

腕は自然に下に垂らす
床につけなくていい

背骨が一つ一つ順に動いていくところをイメージしながら行いましょう。

背骨を傷めないよう勢いをつけず、ゆっくり無理のない範囲で行いましょう。

1日
２～３セット
が目安

❷～❺を
２～３回行って
１セット
約 **1** 分

前かがみ姿勢のクセで背中や腰が曲がり背部が痛む人が多いが「寝たまま背中そらし」でらくらく軽快し姿勢も正せる

私たちは、ある日突然、首が前に突き出して前かがみ姿勢になるわけではありません。毎日の習慣が姿勢を作ります。例えば、家事や仕事などで両手を使う作業はどうしても両肩が前に出がちですが、その姿勢を長時間、習慣的に続けることが常態化すると、**前かがみ姿勢**がクセになってしまうのです。前かがみ姿勢は椎体（ついたい）（背骨の前方の骨）や椎間板（椎体と椎体をつなぐ軟骨組織）に負担をかけ、背骨の圧迫骨折（椎体骨折）や背中痛・腰痛の原因になります。前かがみ姿勢がクセになって背中や腰が曲がり、背部が痛む人は、うつぶせに寝たまま丸まった胸椎（きょうつい）（背骨の胸の部分）を反らす**「寝たまま背中そらし」**が有効です。寝たままベッドの上でもできるので、毎日の習慣にするといいでしょう。就寝前に行えば前かがみ姿勢のクセをリセットでき、起床時に行えば気持ちのいい正しい姿勢で1日をスタートすることができて、背骨の圧迫骨折の予防や背部痛の軽減に効果的です。

背中を伸ばす

寝たまま背中そらし

腰部脊柱管狭窄症などで腰を反らすと痛みやしびれが強まる人は、無理をしないよう注意してください。

1 うつぶせに寝て、両腕を広げて前方へ伸ばす。両足は腰幅に開く

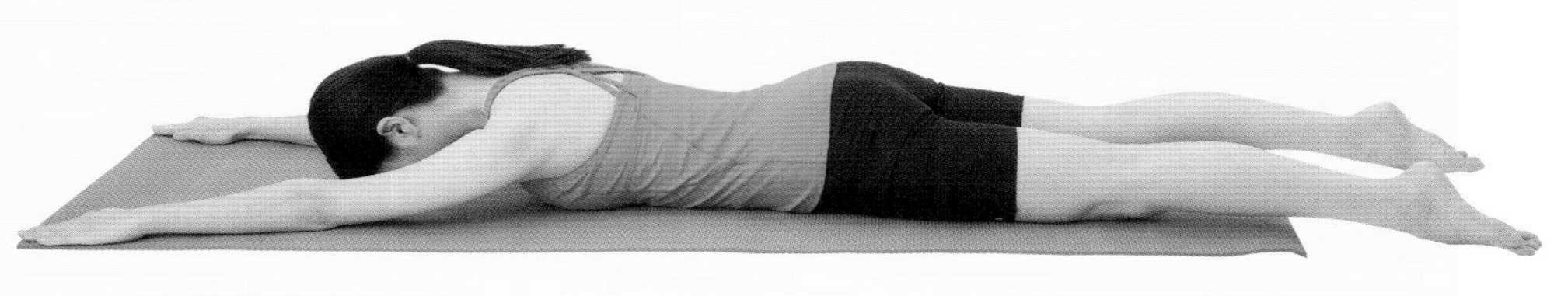

2 息を止めないように注意しながら、あごを引いて、ゆっくりと椎骨を一つ一つ動かし、顔→首→胸の順に体を起こしていく。

背中や腰が曲がって、うつぶせになれない場合は、行わないようにしましょう。

あごだけを反らせないよう、あごはしっかり引いたまま、椎骨一つ一つを動かすイメージで反らしていきましょう。

3 胸が床から離れたら、肩の下までひじを引き寄せる。腹部を床につけたままひじで床を押すようにして、背中を反らす。
その姿勢を 10 秒キープ。

4 両腕をゆっくりと前方へ伸ばし、椎骨を一つ一つ動かして、胸→首→顔の順にゆっくりと体を倒していき、❶の姿勢に戻る。

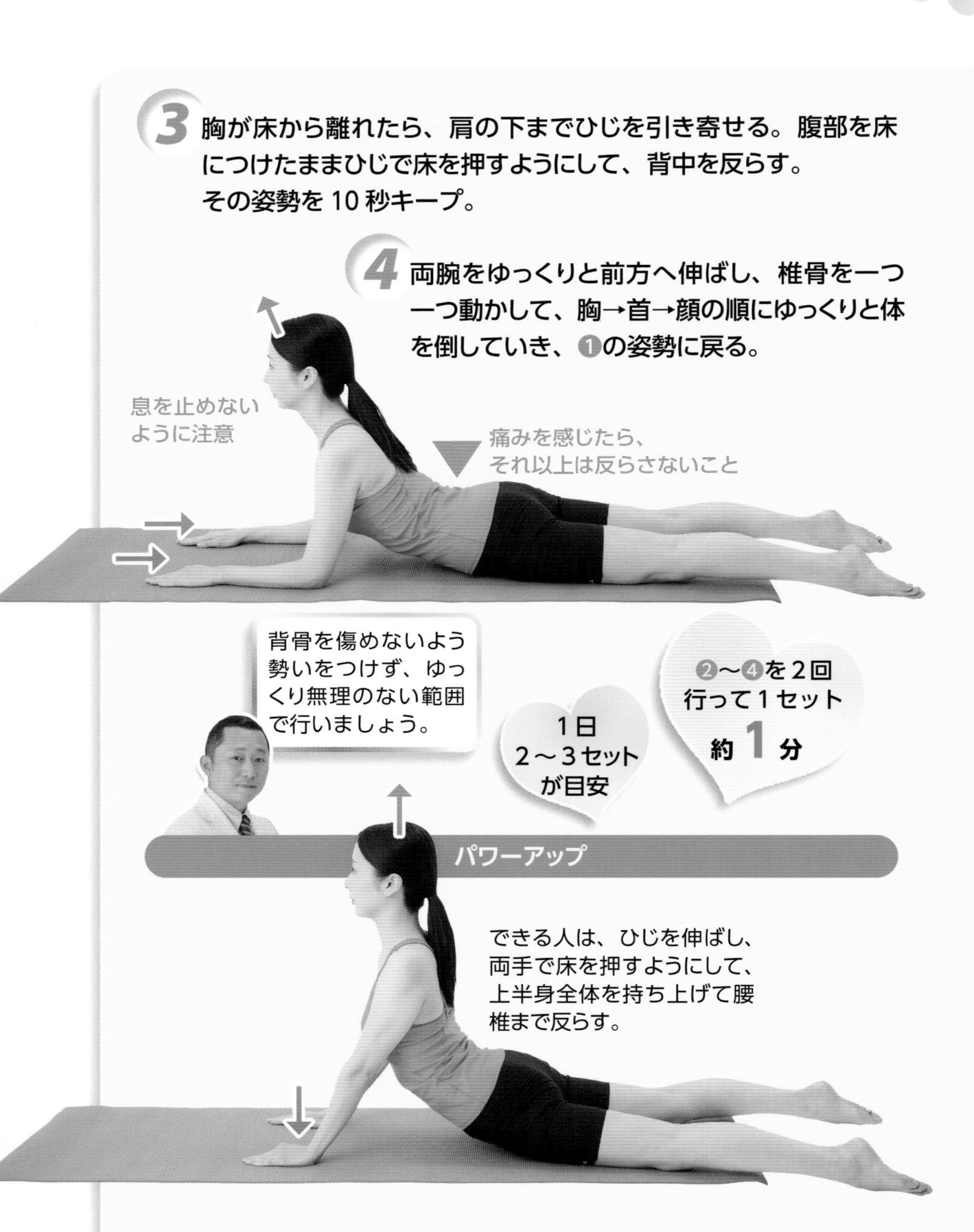

第6章

背骨の特定部位に一点集中する負担を分散して圧迫骨折の発生も再発も防ぐ医大式「背骨ストレッチ」

背中曲がり・腰曲がりを招くそもそもの原因「うつむき姿勢」を正す「壁立ちあご引きストレッチ」

調理や読書をするとき、スマートフォンやノートパソコンを使うときなど、日常生活で**うつむき姿勢**になる機会は多いものです。ただ、この姿勢を長時間続けると背中や腰が丸まりがちで、常態化すれば、何もせずに立っているだけでも**背中曲がり・腰曲がり**の状態のままになってしまいます。見た目が悪いばかりか、背骨の前方に負担が集中し、痛みや背骨の圧迫骨折（椎体骨折）の原因にもなります。

うつむき姿勢を正すには、**頭部の動かし方**がポイントになります。いい姿勢を取ろうとするとき、よく「胸を張って」といいますが、やみくもに胸を前に突き出してもうまくいきません。**あごを水平に引いて頭部を後ろに引っ込める**ようにすると、自然に胸椎（背骨の胸の部分）が伸び、胸郭（肋骨に囲まれた部位）が広がります。**「壁立ちあご引きストレッチ」**で、あごを水平に引くコツをつかみましょう。毎日続ければ少しずつうつむき姿勢のクセが正され、らくにいい姿勢を保てるようになります。

姿勢を正す 壁立ちあご引きストレッチ

1 両足を腰幅に開き、壁にお尻とかかとをつけて自然に立つ。

2 指先であごを軽く押し、頭部を傾けないよう注意して、水平に後ろに引く。

後頭部や背中が壁につかない人は無理につけなくてもいい

3 後頭部をなるべく壁に近づけて、自然に呼吸しながら５秒キープ。

4 指を離し、その姿勢のまま自然に呼吸しながら5秒キープ。

5 ゆっくりと❶の姿勢に戻る。

❷〜❺を５回行って１セット
約 1 分

1日
2〜３セット
が目安

毎日行うことで、あごを引いて背すじの伸びた姿勢を保つコツが身につき、圧迫骨折の原因となるうつむき姿勢を矯正することができます。

胸椎・胸郭の柔軟性を高め第1腰椎など背骨の特定部位に一点集中する負担を減らす「胸椎胸郭ストレッチ」

背骨には頚椎（背骨の首の部分）から腰椎（背骨の腰の部分）までで24個の椎骨があって、その形状は一つ一つ異なり、椎間（椎骨と椎骨の間）の可動域（動かせる範囲）や得意な運動方向にも違いがあります。例えば頚椎は前後左右に曲げる動きも左右に回す動きも得意です。胸椎（背骨の胸の部分）のように肋骨の支えがない腰椎も動きの自由度が高い部位ですが、特に前後に曲げやすいという特徴があります。このため腰椎は「棚の上の物を取る」「靴をはく」といった何気ない日常動作で大きく前後に動き、負担が集中しやすい部位です。特に胸椎のすぐ下にある第1腰椎には上半身の重みも集中し、背骨の圧迫骨折（椎体骨折）が起こりやすい部位でもあります。

特定部位に集中する負担を分散するには、胸郭（肋骨に囲まれた部位）の柔軟性を高めることが大切です。「胸椎ストレッチ」「胸郭ストレッチ」なら、イスに腰かけることで腰椎の動きを抑えながら、胸椎・胸郭を効率的に動かすことができます。

胸椎ストレッチ

胸椎を柔軟にする

1 背もたれのあるしっかりしたイスに浅く腰かけ、あごを水平に後ろに引いて、両手を頭の後ろに当てる。

2 上体をゆっくりと後ろに倒し、背もたれに背中を当て、息を止めないよう注意しながら、胸を広げて 20 秒キープ。

3 お尻の位置を少し前にずらし、背もたれに当てる背中の位置を2～3ヵ所変え、それぞれ胸を広げて 20 秒キープ。

4 ゆっくりと❶の姿勢に戻る。

肋骨
胸郭
背骨

「胸椎ストレッチ」「胸郭ストレッチ」（次ページ）は、胸椎（背骨）が伸び、胸郭が広がる気持ちよさを味わいながら行いましょう。

両足を開いて
体を安定させる

胸を
広げる

腰を反らしすぎないように注意

イスごと後ろに倒れないように注意

息を止めないよう注意

お尻の位置を前にずらし、背もたれに当てる背中の位置を変える

イスから落ちないように注意

❷～❹を行って1セット
約 1 分

1日
2～3セット
が目安

胸郭を柔軟にする 胸郭ストレッチ

1. イスに浅く腰かけて両手を頭の後ろに当て、あごを引く。
2. 上体を左に回す。息を止めないよう注意
3. そのまま上体を左に傾け、いったん体を起こし、すぐに右に傾ける。
4. 一度❷の姿勢に戻る
5. 上体をさらに左に回す。
6. そのまま上体を深く左に傾け、いったん体を起こし、すぐに右に傾ける。
7. 上体を起こし、❶の姿勢に戻る

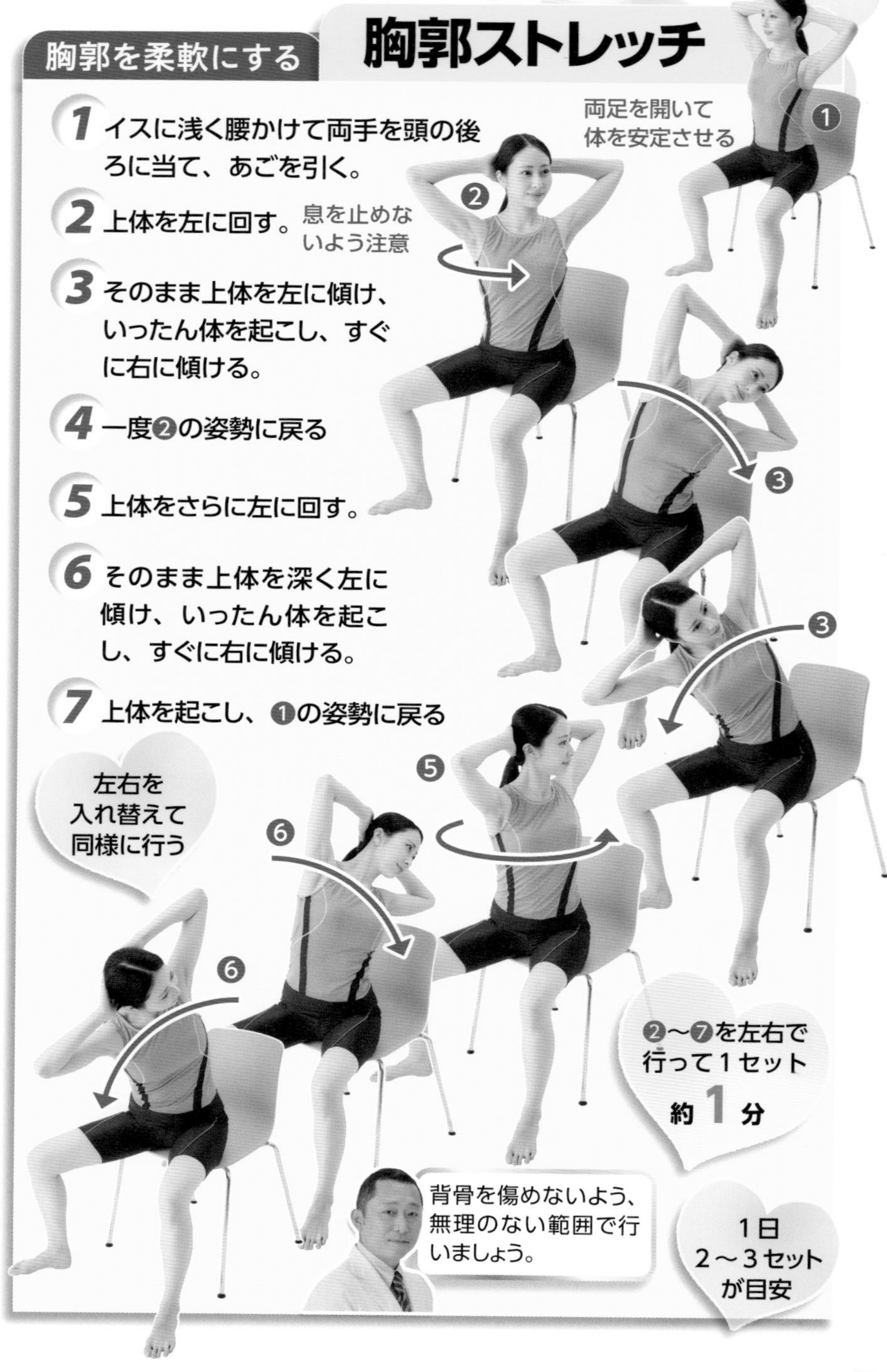

骨盤の傾きを正して股関節の柔軟性を高め背骨の負担の一点集中を分散する「骨盤前傾ストレッチ」

背中や腰が曲がった姿勢は、比較的動かしやすい背骨の一点に負担が集中するため、痛みを招きやすい姿勢です。これを正すために、骨盤の傾きに注目しましょう。背骨と骨盤はつながっており連動して動くので、後傾（後ろに傾くこと）しすぎた骨盤を起こせばおのずと腰や背中の曲がりが正され、負担の一点集中を分散できます。

ただ、骨盤を動かすのは、最初は難しく感じるかもしれません。そこで**「骨盤前傾ストレッチ」**を試してみましょう。よつばいになって行う簡単な体操ですが、骨盤を動かすコツをつかむことができます。骨盤の動きがよくなると股関節の柔軟性も高まり、足のつけ根がしっかり伸びて、いい姿勢を取りやすくなります。体幹（胴体）の筋肉も鍛えられ、姿勢を維持する力もつきます。

骨盤の傾きと姿勢

骨盤が後傾しすぎると、背中や腰が曲がり、負担が背骨の一点に集中する

骨盤の傾きを正す

骨盤前傾ストレッチ

1 腕・太もも・胴体・床で四角形を作るようによつばいになる。視線を床に向けて、おなかを引っ込めるようにして力を入れる。

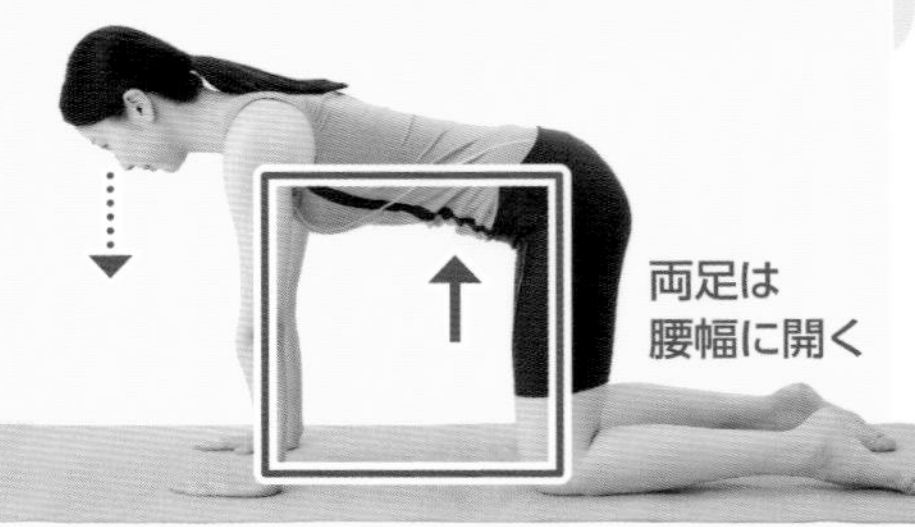

2 息を止めないよう注意しながら、背中と腰を上へ引き上げる。背骨全体を丸め、自然呼吸で10秒間キープ。

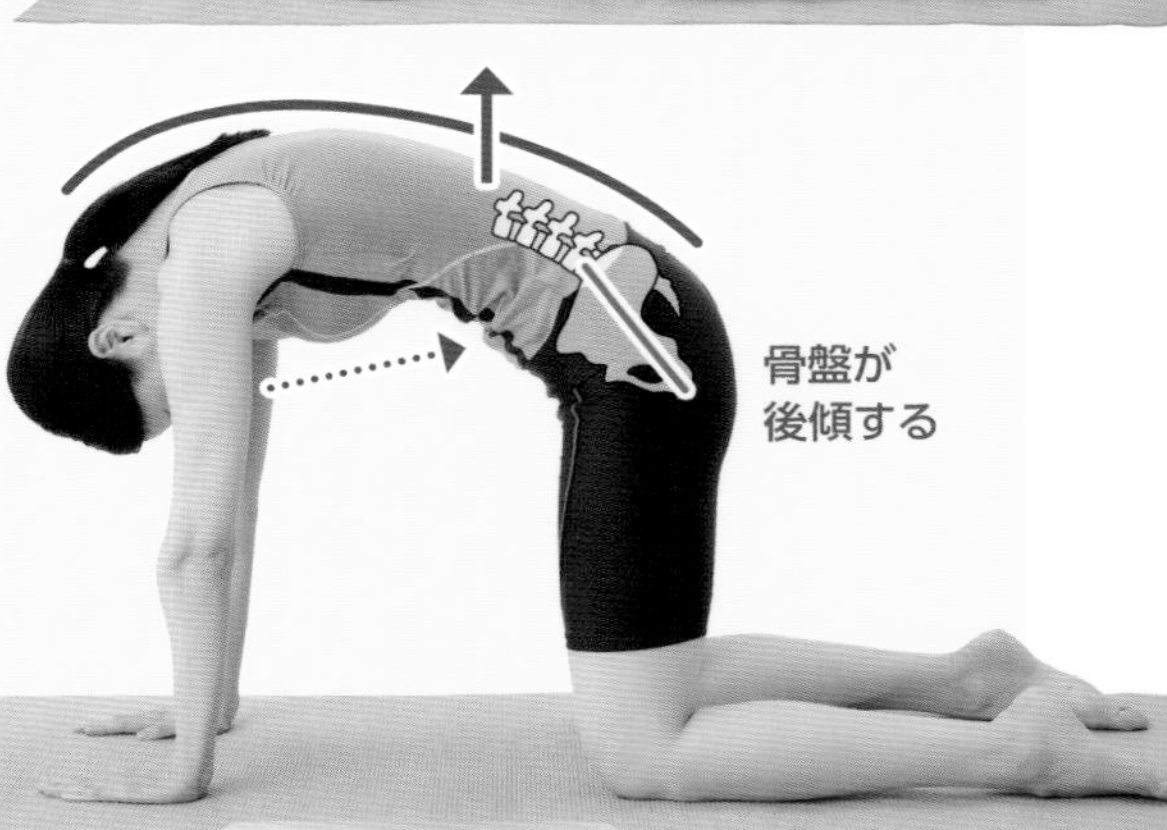

3 息を止めないよう注意しながら、背中を反らせて胸を開く。正面を見て、自然呼吸で10秒間キープ。

両手の間からヘソをのぞき込むようにすれば、背中と腰を引き上げやすくなります。

骨盤が動き、前傾するのを意識する

❶〜❸を3回行って1セット
約**1**分

1日
2〜3セット
が目安

第7章

背骨を支え姿勢を保つ
体幹筋を強めて
圧迫骨折も
背曲がり・腰曲がりも防ぐ
布団でできる
「体幹強化1分体操」

筋力不足の女性でも背骨を支える多裂筋をらくに強化でき姿勢維持が容易になりねこ背も改善する「よつばい体操」

背中の筋肉のうち体の最も深いところにある**「多裂筋」**は、頸椎（背骨の首の部分）から仙骨（骨盤中央の骨）まで**背骨の一つ一つに直接付着する細かい筋肉の連なり**です。多裂筋は椎骨どうしを引きつけるように働くため、**背骨を安定させるのに重要な筋肉**です。多裂筋がしっかりと働けば、いい姿勢をらくに維持できるようになって**ねこ背が改善**でき、背中を反らしたり、体をねじったり、横に曲げたりと、どんな動きをするときも、背骨の一点に負担が集中するのを防ぐことができます。

多裂筋を鍛えるには、**「よつばい体操」**が最適です。よつばいで片手・片足を同時に上げるだけなので、高齢者でもらくにできて、転倒の心配もありません。

多裂筋

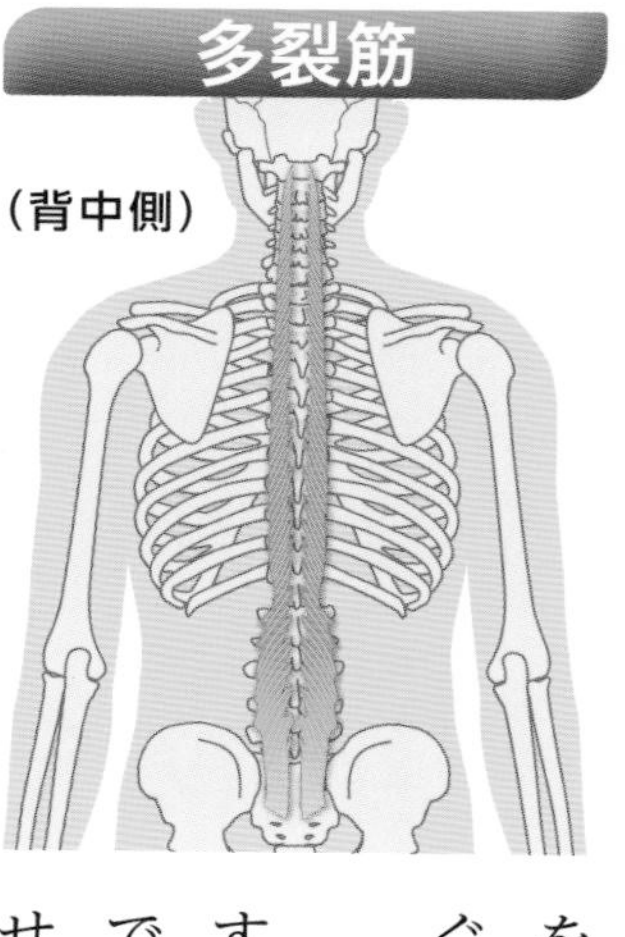

体幹を強化する

よつばい体操

1 腕・太もも・胴体・床で四角形を作るようによつばいになる。視線を床に向けて、おなかを引っ込めるようにして力を入れる。

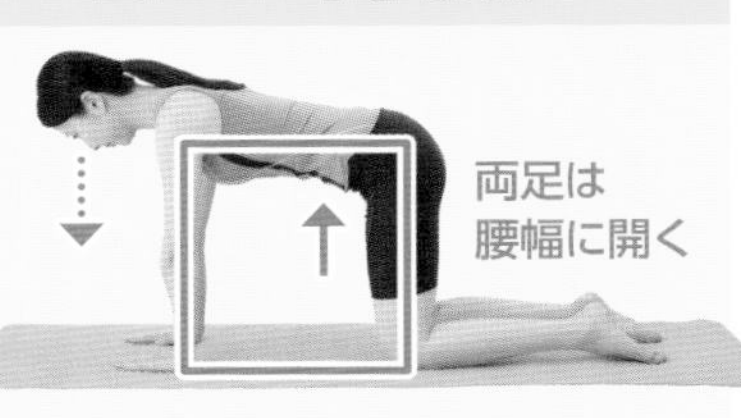

2 息を止めないよう注意しながら右手と左足を上げ、5秒キープ。

3 ゆっくりと右手、左足を下ろし、❶の姿勢に戻る。

手首やひざの痛みがある人は

おなかの下に枕などを入れてうつぶせになり、頭と胸を少し持ち上げる

高齢者でもらくに体幹を強化でき圧迫骨折後や脊柱管狭窄症による腰痛・坐骨神経痛も改善する「エルボープランク」

前かがみ姿勢がクセになり背骨の一点に負担が集中すると、**背骨の圧迫骨折（椎体骨折）**や、**脊柱管狭窄症**（16ページ参照）から**腰痛**や**坐骨神経痛**（**下肢の痛み・しびれ**）を招きやすくなります。

これを予防するには、背すじを伸ばした姿勢を保つことが大切ですが、**体幹（胴体）の筋肉**が加齢や運動不足で衰えていると、長くいい姿勢を保つことができません。そこで、体幹の筋肉を効率よく鍛えられる体操を始めましょう。

体幹の筋肉は何層にもなって内臓や背骨を取り巻いて支えています。「エルボープランク」ならこれらの筋肉を一度に鍛えられ、痛みの改善に効果が期待できます。転倒の心配がなく、筋力不足の女性もらくに取り組めます。布団やベッドの上でできるので、就寝前や起床時の習慣にするのもいいでしょう。

体幹の筋肉（胴体の断面）

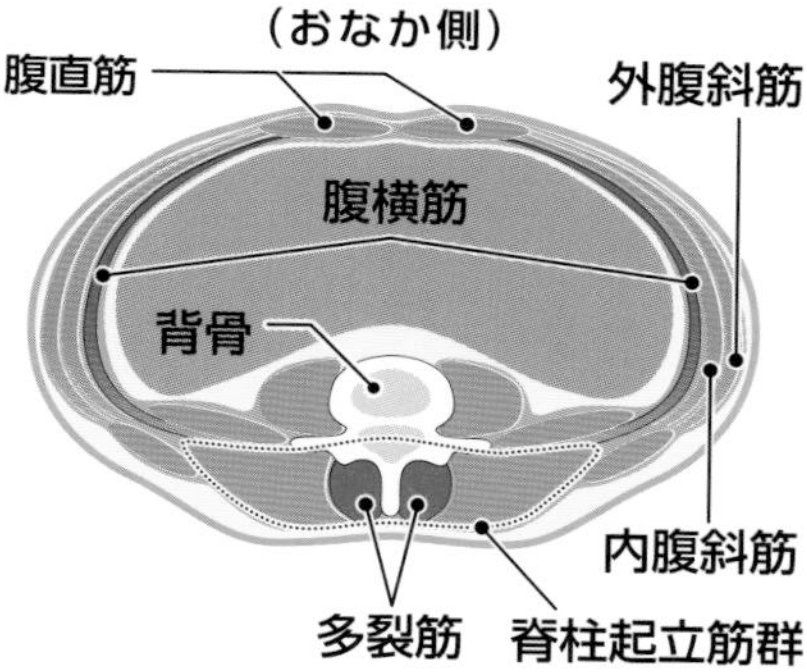

姿勢を維持する力を強化 エルボープランク

1 両腕を肩幅に開き、ひじをついてうつぶせになる。

2 息を止めないよう注意しながら爪先を上げ、両ひざと両ひじで支えて腰を持ち上げる。15 秒キープ。

3 ゆっくりと❶の姿勢に戻り、10 秒休む。

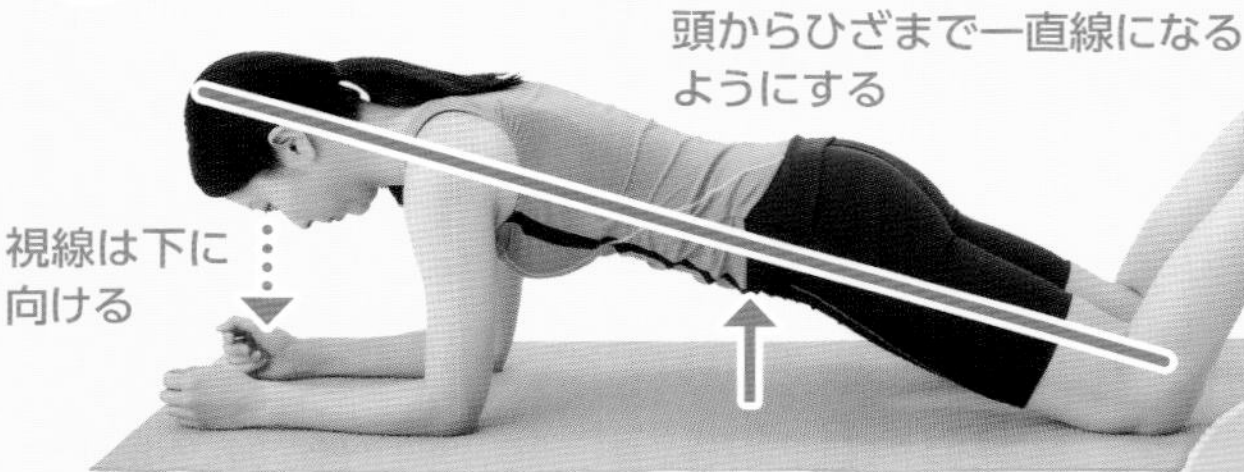

1日
2～3セット
が目安

❷～❸を2回
行って1セット
約1分

できる人は、ひざを伸ばして両足の爪先と両ひじで体を支えてみましょう。体幹の筋肉を鍛える効果が強まります。

パワーアップ

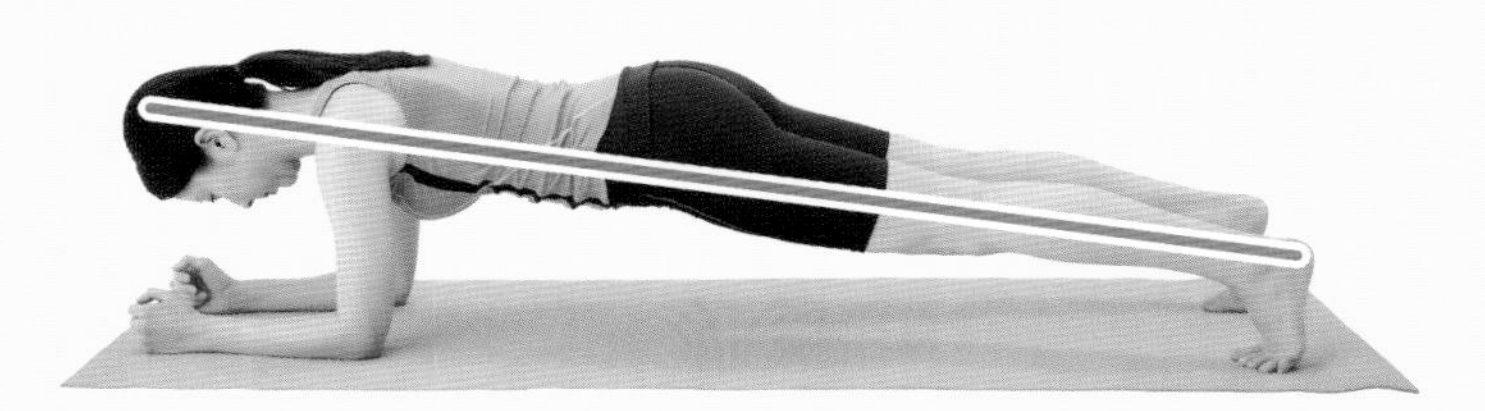

やせたお尻の筋力も強化でき背骨の安定感が増し坐骨神経痛やしびれの軽快例も多い「ヒップリフト」

あまり意識されませんが、いい姿勢を保つには骨盤の安定も重要で、それにはお尻の筋力も関係しています。高齢になるとお尻の筋肉がやせてしまう人がよく見受けられますが、例えばお尻の大きな筋肉**「大殿筋」**は、仙骨（骨盤中央の骨）と大腿骨（太ももの骨）をつないでおり、この筋肉が弱ると**骨盤が安定せず、傾いたりねじれたりする原因**になります。骨盤が不安定だと、骨盤と連動して動く腰椎（背骨の腰の部分）や股関節までもが不安定になってしまうのです。お尻の筋肉強化には**「ヒップリフト」**がおすすめです。あおむけになってお尻を上げるだけの簡単な体操ですが、骨盤を安定させ、体幹筋も鍛えられて**背骨の安定感が増し、坐骨神経痛（下肢の痛み・しびれ）が軽快**する効果も期待できます。準備として「ドローイン」を行い、体幹筋を働かせる感覚をつかむとより効果的です。

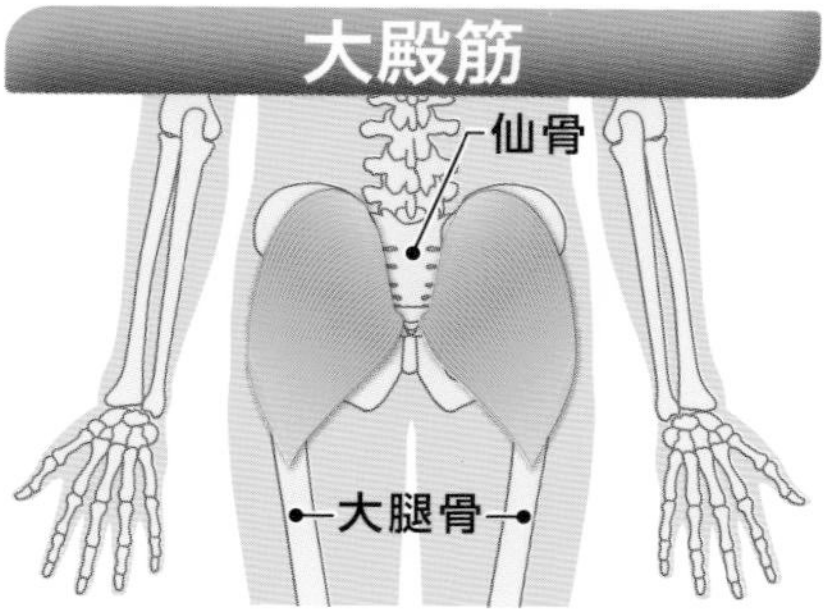

大殿筋

仙骨

大腿骨

体幹とお尻の筋肉を強化する ヒップリフト

準備：ドローイン 体幹筋を働かせる感覚をつかむ。

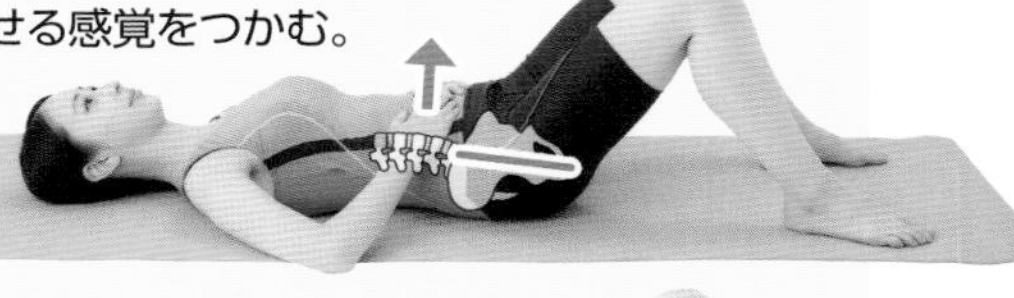

❶両ひざを立ててあおむけになり、腰骨のでっぱりとへその間あたりに両手の指を当てる。鼻から息を吸っておなかをふくらませる。
❷口から息を吐き、おなかをめいいっぱいへこませる。指を当てたおなかの筋肉が硬くなるのを感じる。
❸おなかをへこませたまま、30 秒間胸で呼吸を続ける。

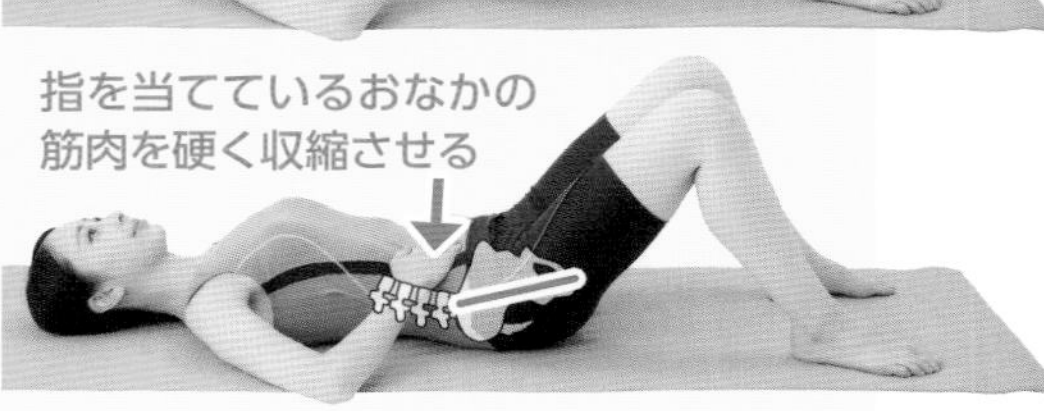

1 両ひざを立ててあおむけになる。両足は腰幅に開く。

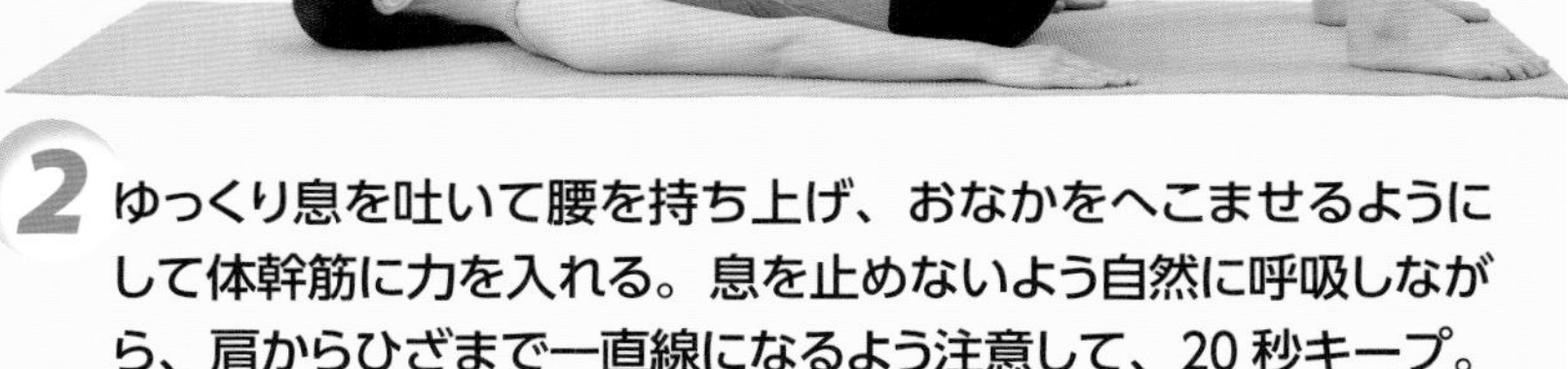

2 ゆっくり息を吐いて腰を持ち上げ、おなかをへこませるようにして体幹筋に力を入れる。息を止めないよう自然に呼吸しながら、肩からひざまで一直線になるよう注意して、20 秒キープ。

3 ゆっくりと❶の姿勢に戻る。

肩からひざまでをまっすぐに保つ

お尻が下がらないよう注意

1日
2～3 セット
が目安

❶～❸を 2 回
行って 1 セット
約 1 分

腰が上がりすぎたり下がりすぎたりしないよう、おなかとお尻にしっかりと力を入れ、骨盤を安定させましょう。

姿勢維持に重要な腹横筋の強化に最適で側弯など背骨の横方向の変形も防ぐ「らくらくサイドプランク」

姿勢の維持に重要な役割を担っている体幹筋（胴体の筋肉）として「腹横筋（ふくおうきん）」があります。腹横筋は体幹筋の中で最も深部にあり、腹部を取り巻くコルセットのように働き、背骨を安定させる役割があります。（88ページの図参照）

「らくらくサイドプランク」は、腹横筋の強化に最適な体操です。また、背骨が不安定になり、ねじれるように横方向に変形する**「側弯（そくわん）」を防ぎ、改善する効果**も期待できます。

らくらくサイドプランク

1 ひざを曲げて横向きに寝る。ひじをついて上体を起こす。

息を止めないよう注意する

左右を入れ替えて同様に行う

2 ゆっくり腰を持ち上げて20秒キープ。

頭からひざまで一直線になるように注意する

1日2～3セットが目安

❶～❷を左右行って1セット 約1分

前に出がちな両肩の位置を正して曲がった胸椎を伸ばし姿勢がたちまちよくなる「僧帽筋トレーニング」

うつむき姿勢がクセになると、頭部や両肩が前に出て胸椎(きょうつい)（背骨の胸の部分）が丸まり、ねこ背になりがちです。逆に頭部や両肩を後ろに引けば自然に胸椎が伸び、胸郭(きょうかく)（肋骨(ろっこつ)に囲まれた部位）が広がって、いい姿勢を取ることができます。

両肩を後ろに引くときは肩甲骨(けんこうこつ)や肩側の鎖骨(さこつ)が背中の中央に向かって引き寄せられるように動きますが、この動きに大きく関わるのが、頭蓋骨(ずがいこつ)の下部から肩、背中の中央部までつながる大きな筋肉「僧帽筋(そうぼうきん)」です。僧帽筋はまた、うつむいた頭部を起こすときにも働くので、うつむき姿勢を正して曲がった胸椎を伸ばすには、僧帽筋を強化するといいでしょう。

僧帽筋強化に最適なのが、うつぶせで両腕を持ち上げて曲げ伸ばしする「僧帽筋トレーニング」です。単純な動きですが、しっかりと僧帽筋を働かせて肩甲骨を引き寄せる力がつきます。

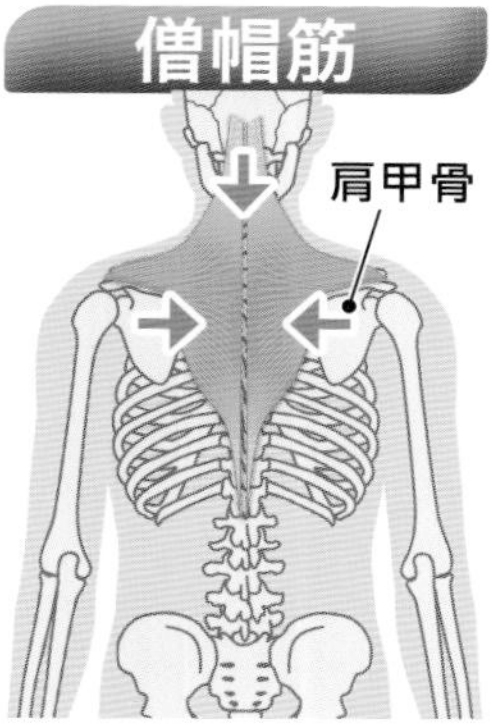

僧帽筋

肩甲骨

曲がった胸椎を伸ばす 僧帽筋トレーニング

1 うつぶせに寝て、両腕を肩幅より広めに広げて前方へ伸ばす。両足は腰幅に開く

2 両腕を開いたまま、腕だけを上に持ち上げる。

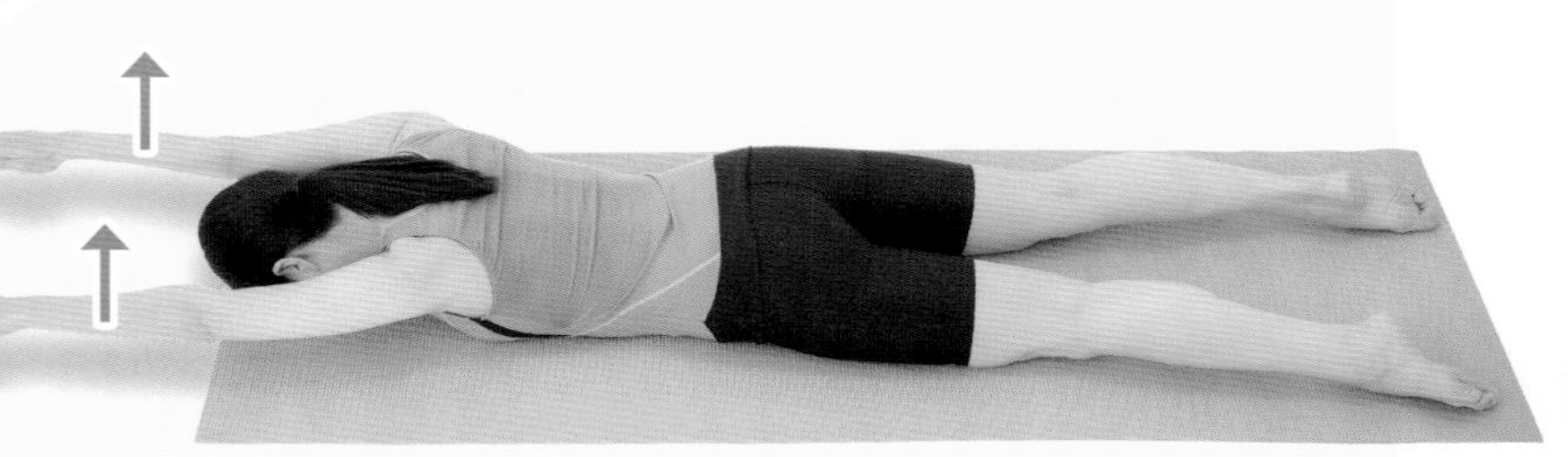

3 息を止めないよう注意しながら、両ひじをゆっくりと前後に5回曲げ伸ばしする。

肩甲骨の動きを意識する

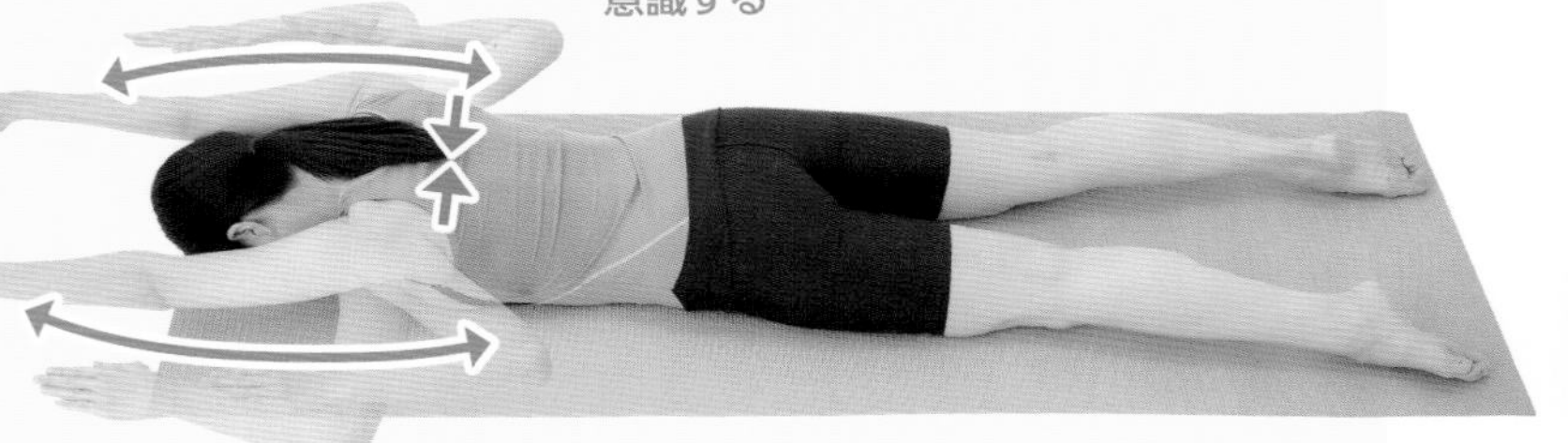

4 ゆっくりと両腕を下ろし、❶の姿勢に戻る。

❷〜❹を2回行って1セット
約1分

1日2〜3セットが目安

背中や腰が曲がって、うつぶせになれない場合は、行わないようにしましょう。

腕を動かすとき、肩甲骨が引き寄せられて動くのを意識しましょう。

第8章

全身のバランス力や運動神経の鈍りを正し圧迫骨折や足のつけ根骨折を招く「転倒」「つまずき」の危険を低減する医大式「バランス体操」

衰えがちなお尻・太もも・ふくらはぎの筋肉を一挙に強化しバランス感覚も養え転倒を防ぐ「1分片足立ち」

人間の骨格筋[*1]のうち「抗重力筋」は、重力に逆らって姿勢を保つ働きをしています。直立しても転倒しないようバランスを保つには、とりわけ**下肢（お尻・太もも・ふくらはぎ）**の抗重力筋が重要です。加齢や運動不足で衰えがちな下肢の筋肉強化には、体重を1本の足で支えることで**軸足の筋肉を一挙に鍛える「1分片足立ち」**がおすすめです。

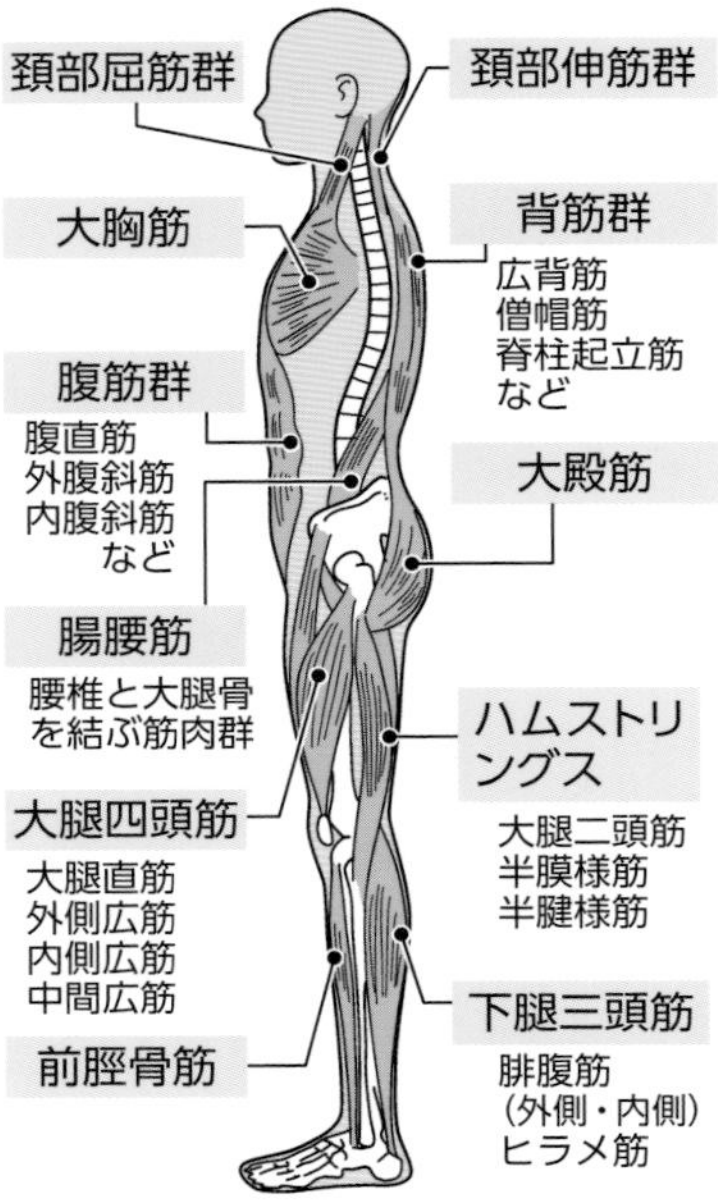

一方、持ち上げたほうの足では股関節を動かす筋肉も強化され、歩行能力の改善も期待できます。さらに、両足で立ったときよりも軸足の大腿骨（太ももの骨）にかかる負荷が増え、骨が刺激を受けるため、骨密度の改善も期待できます。

抗重力筋＊2

頚部屈筋群
頚部伸筋群
大胸筋
背筋群
広背筋
僧帽筋
脊柱起立筋
など
腹筋群
腹直筋
外腹斜筋
内腹斜筋
など
大殿筋
腸腰筋
腰椎と大腿骨を結ぶ筋肉群
ハムストリングス
大腿二頭筋
半膜様筋
半腱様筋
大腿四頭筋
大腿直筋
外側広筋
内側広筋
中間広筋
下腿三頭筋
腓腹筋
（外側・内側）
ヒラメ筋
前脛骨筋

＊1 骨格を動かす筋肉。
＊2 これらの筋肉のほか、ぶら下がるときに使う腕の筋肉（上腕二頭筋、三角筋など）も抗重力筋。

足の筋肉とバランス力を強化　1分片足立ち

1 しっかりしたイスの背や手すりなどに、右手でつかまって立つ。

2 左ひざをゆっくりと腰の高さまで持ち上げる。息を止めずに自然に呼吸しながら、30 秒キープ。

3 ゆっくりと足を下ろし、❶の姿勢に戻る

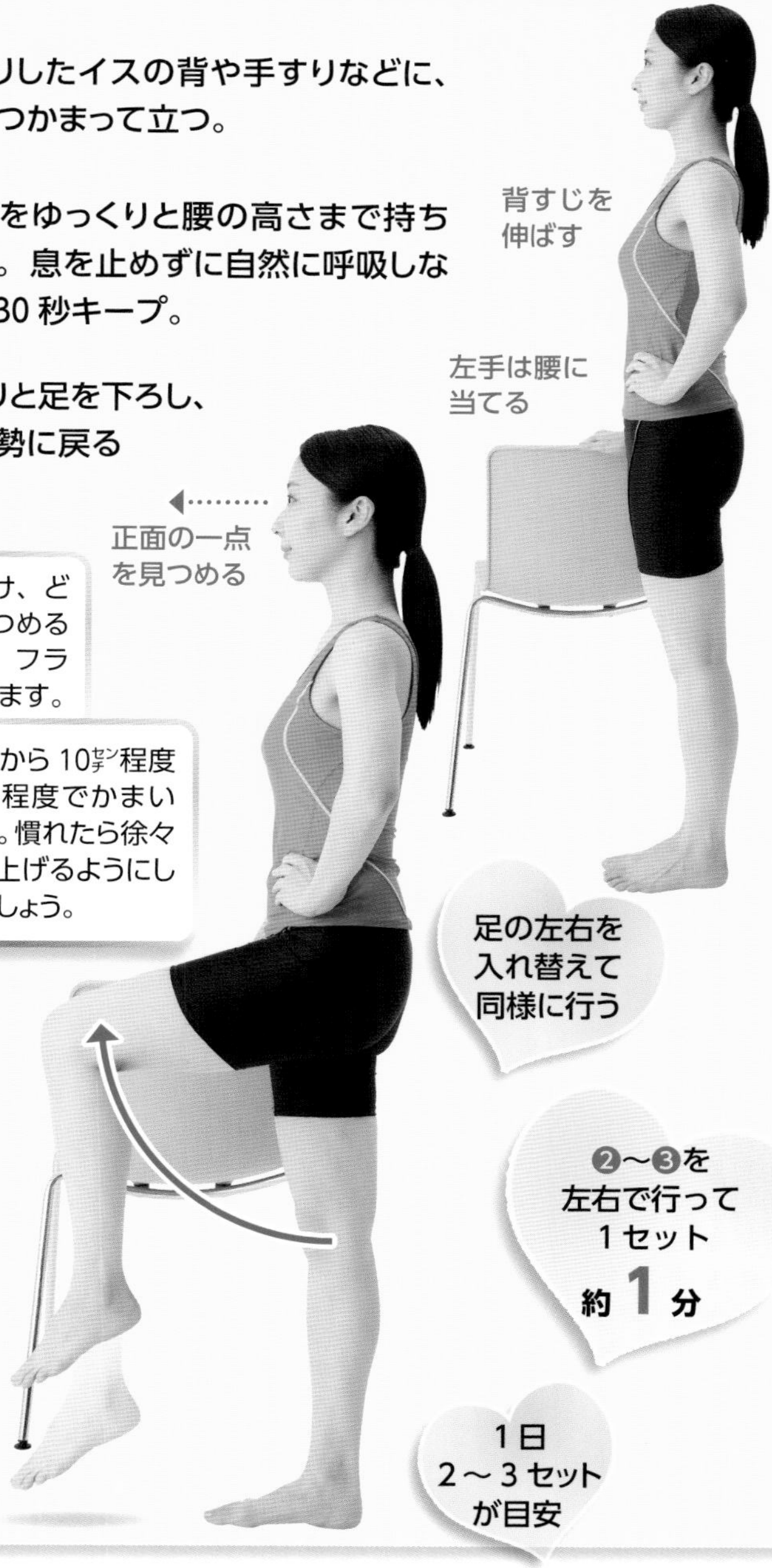

背すじを伸ばす

左手は腰に当てる

正面の一点を見つめる

顔を正面に向け、どこか一点を見つめるようにすると、フラつきにくくなります。

足は床から 10センチ程度離れる程度でかまいません。慣れたら徐々に高く上げるようにしてみましょう。

足の左右を入れ替えて同様に行う

❷～❸を左右で行って1セット
約1分

足裏が床から少し離れる程度でいい

1日
2～3セットが目安

全身のバランス力を保ちながら足を自在に動かす力を強め力強く歩ける簡単室内運動「継ぎ足ウォーク」

歩くために足を踏み出すと、重心が移動し体のバランスがくずれます。それでも転倒せずに歩けるのは、全身の関節や筋肉が連動して全身のバランスを回復させるからです。**歩行とは、バランスがくずれては立て直すことをくり返す全身運動なのです。**

全身の筋肉の中でも**下肢**（かし）**の筋力が弱ると体がぶれ、歩行時にフラつきやすくなります。**踏み出した足に体重を乗せたとき、側面へ移動する重心を体の中心に引き戻す力が不足するため骨盤が傾き、フラついてしまうのです。重心を常に体の中心に引き寄せてバランスを取りながら歩くには、前後だけでなく左右にも足を自在に動かすための筋肉を鍛える必要があります。これには**「継ぎ足ウォーク」**が最適です。室内の壁などで軽く体を支えながら歩くだけの安全でらくな運動ですが、実は、体の左右へのブレが命取りになる綱渡りの演技と同様の動きです。バランス感覚だけでなく、重心を体の中心へ引き寄せるための、股関節（こかんせつ）や内ももなどの力をつけることができます。

バランスよく歩く力を強化

継ぎ足ウォーク

1 手すりや壁などで軽く体を支えて立つ。

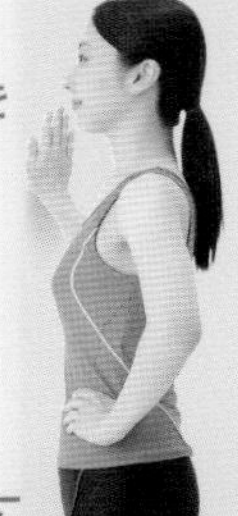

2 左足のかかとを右足の爪先につけるようにして、左足を前に出す。次に右足のかかとを左足の爪先につけるようにして、右足を前に出す。

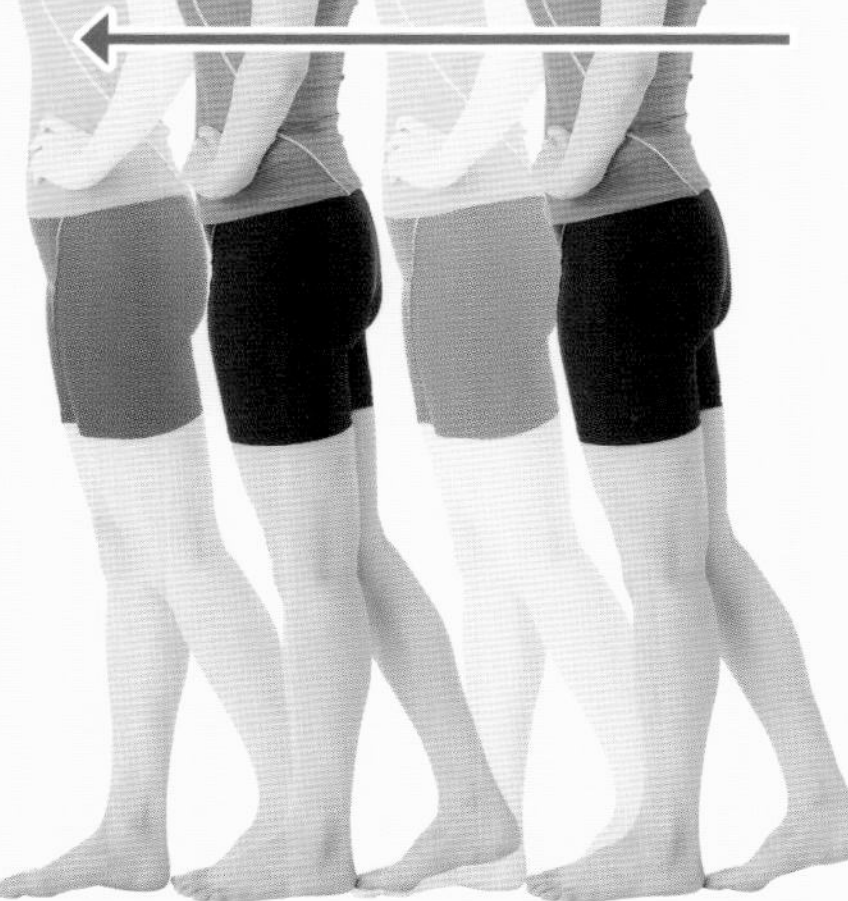

3 数歩進んだら反対方向に向きを変え、同様に歩く。

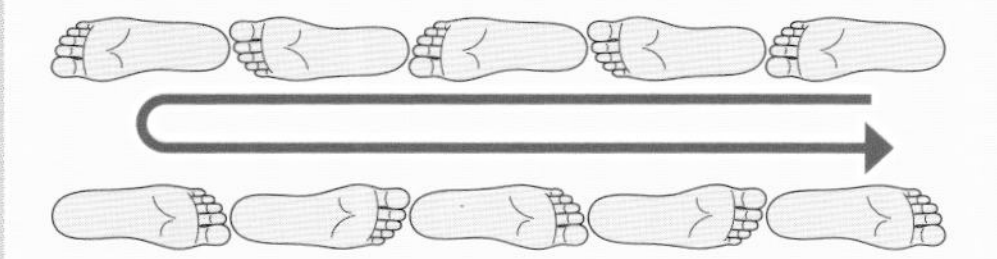

パワーアップ

後ろ向きに歩く。

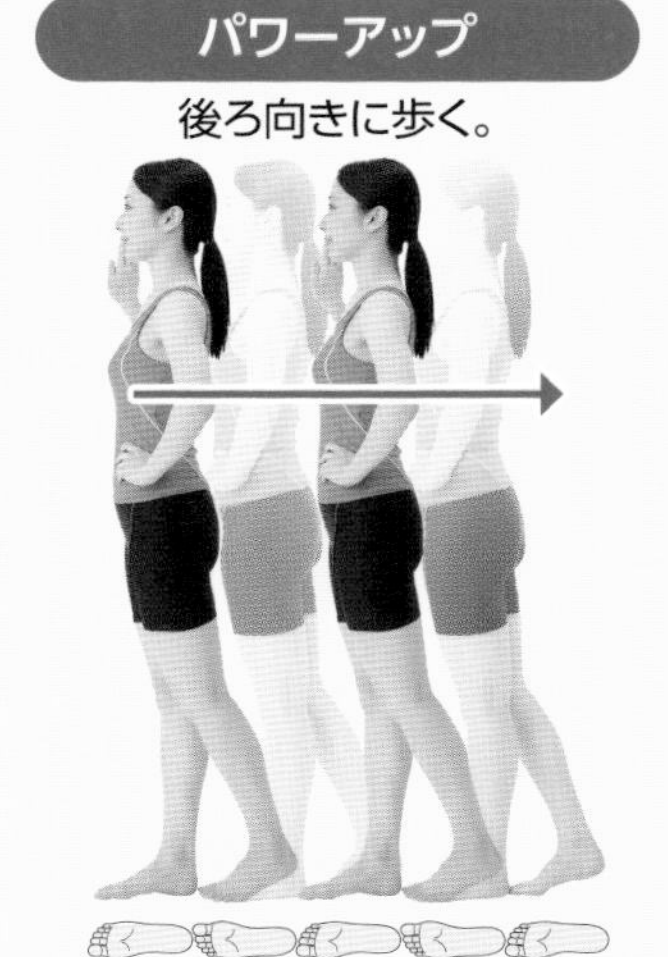

できるだけ骨盤が左右に傾かないように注意して、足でしっかり床を踏みしめて歩きましょう。

1日
2～3セット
が目安

❷～❸を
約1分
行って1セット

少しの段差や上り階段でよくつまずく人は前脛骨筋の感覚と筋力が弱く「すねトレ」で強化が急務

階段を上るときや、カーペットの縁、歩道の敷石のちょっとしたズレのような小さな段差でも、**つまずいて転倒すれば背骨の圧迫骨折（椎体骨折）や大腿骨近位部骨折などの危険性が高まります。**注意しているつもりでもよくつまずくという人は、歩き方を見直してみましょう。歩くとき、踏み出した足の爪先は上がっているでしょうか。かかとではなく足裏全体で着地するペタペタ歩きになっていないでしょうか。

背中が丸まった前かがみ姿勢では小また歩きになり、かかとで着地する歩き方ができません。また、**前脛骨筋（すねの筋肉）**がしっかりと働かないと爪先を引き上げられないため、つまずきやすくなります。背すじを伸ばすとともに、**「すねトレ」**で前脛骨筋を鍛え、つまずきを防いで転倒を回避しましょう。爪先を引き上げる前脛骨筋が働く感覚がつかめ、筋力を強化することができます。

前脛骨筋

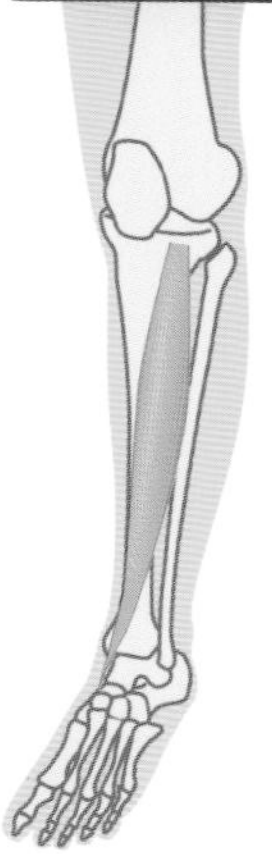

前脛骨筋を強化しつまずきを防ぐ　すねトレ

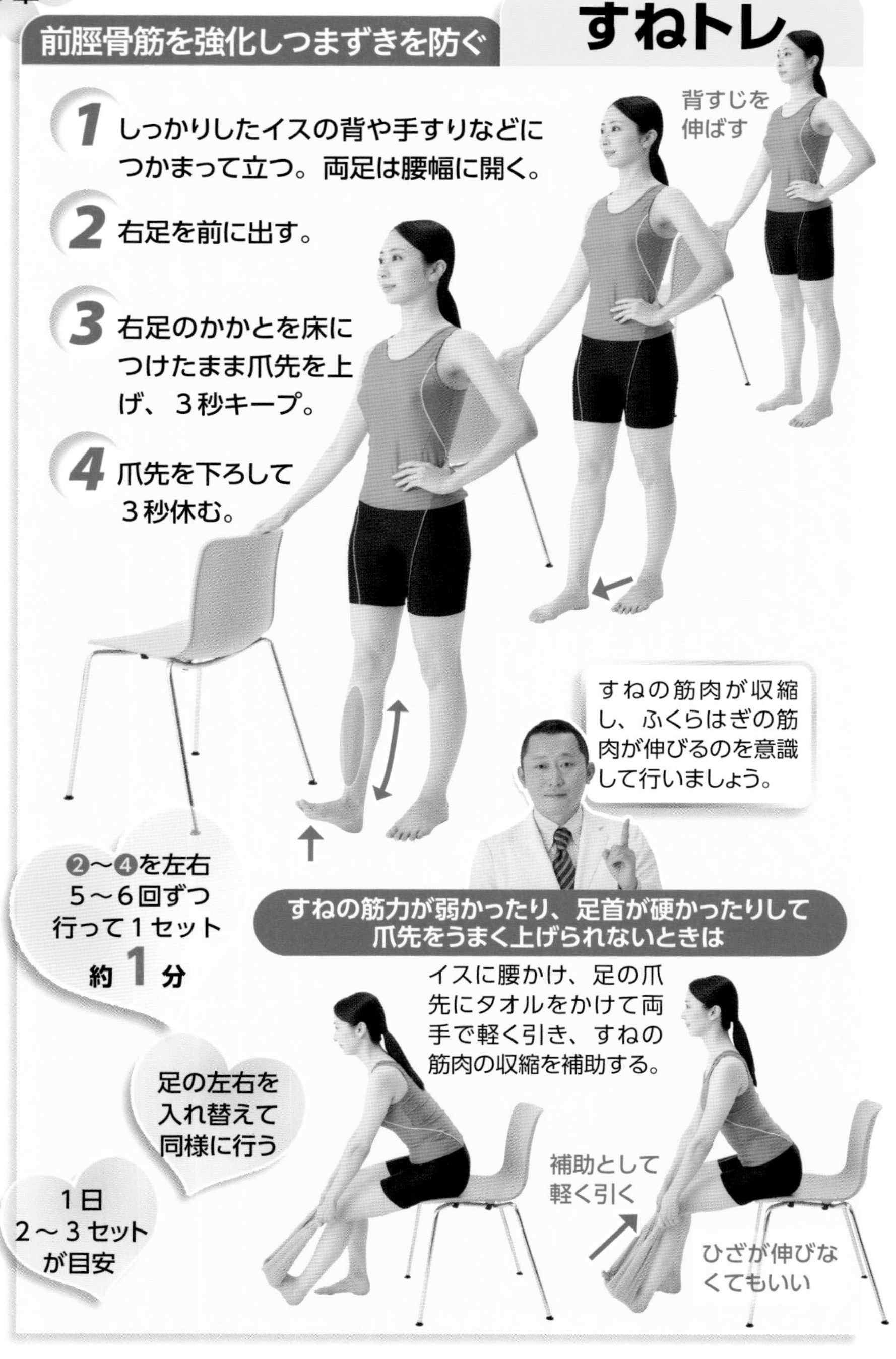

外出前に足裏の固有感覚を鍛えておけばフラつきや転倒の危険が大幅に減り、「ゴルフボール転がし」が簡単一番

足裏には「感覚受容器」というセンサーがたくさんあり、体の傾きや地面の凹凸などを敏感に感じ取っています。これを「固有感覚」といいます。固有感覚による情報と、目や、耳の三半規管（さんはんきかん）などから得られる情報に基づいて脳が全身に指令を出し、その指令によって筋肉が働き、転倒しないようにバランスを取ることができるのです。

固有感覚が鈍ると体の傾きなどの情報が脳に伝達されにくくなり、フラつきや転倒の危険が大きくなります。固有感覚を使わないでいると、その機能が低下してしまいます。これを防ぐために、足裏の固有感覚を「ゴルフボール転がし」で鋭敏にしましょう。外出前に行うだけでも、フラつきや転倒の危険を大幅に減らすことができます。

ゴルフボール転がし

イスに腰かけ、床に置いたゴルフボールを足裏で転がす。

1日何回でもOK

足指、足裏の筋肉を一斉に強化し転倒せず力強く歩ける歩行力を強める簡単運動「タオルギャザー」

足裏にはたくさんの筋肉があって、土踏まずなどの3つのアーチを支えています（図参照）。3つのアーチが丈夫な三角形の構造を構成し、全身の重みを受け止め、歩行時の衝撃を和らげるサスペンションのような働きをしています。

ところが現代は靴をはいて生活する時間が長く、足指や足裏に力を込めて地面を踏みしめる機会が減っていることから、アーチ構造がくずれがちです。アーチ構造がくずれると、足裏全体で着地する歩き方になったり、少し歩いただけで疲れやすくなったりして、つまずきの原因にもなります。

力強く安定した歩行をするために、**「タオルギャザー」**で**足指や足裏を鍛え、しっかりとしたアーチ構造を保ちましょう。**足裏の固有感覚（前ページ参照）も鋭敏になって全身のバランスを取る力が高まり、フラつきや転倒の防止効果も期待できます。

足のアーチ構造

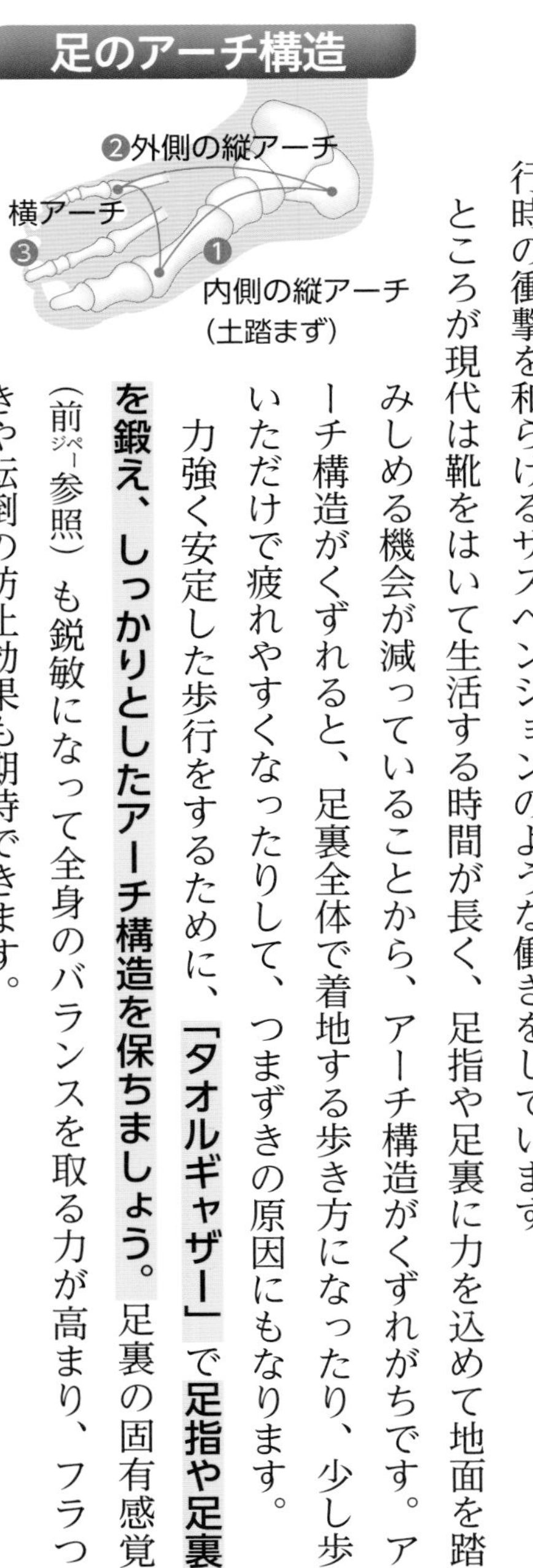

足指と足裏の筋肉を鍛える タオルギャザー

1 イスに腰かけ、広げたタオルを縦にして床に置いて、手前の端に右足を乗せる。

2 かかとをつけたまま右足の指でタオルをつかみ、指を曲げ伸ばししてたぐり寄せる。

3 すべてたぐり寄せたらタオルを伸ばす。

第9章

女性の3人に1人は 一生の間で 背骨の圧迫骨折を経験し、 起こったときの 最良の治療選択はこれ

背骨の圧迫骨折は放置すれば骨折がドミノのように続発し背中と腰が異常に丸まり寝たきりの危険大

50歳以上の女性が残りの人生で背骨の圧迫骨折（椎体骨折）を経験する確率は32%といわれます。[*1] 圧迫骨折は珍しいものではないのです。私は脊椎（背骨）の専門医として、背骨の圧迫骨折に特に注目して診療・研究を行ってきました。以前は「圧迫骨折は、最初は痛くても自然に痛みが消えるから、特に問題がない軽い骨折である」ととらえられていました。しかし最近の研究によって、治療後に痛みが治まっても姿勢の変形が健康に悪影響を及ぼし、生活の質が低下するとわかってきました。背骨の圧迫骨折をしっかり治療せず放置すると**重症化して骨がつぶれ、背骨が変形**します。それればかりか、一度骨折を起こすと、将来二度三度と骨折するリスクが高まり、**ドミノのように骨折が続発**することがあります。私たちの研究に参加した患者さんで、初回の圧迫骨折後のわずか1年間で合計8ヵ所もの圧迫骨折を起こした例があります。[*2]

圧迫骨折が続発すると、背骨の前方（椎体）がつぶれることから、背中と腰が亀の

＊1 Cummings et al, Arch Intern Med 1989
＊2 Inose et al, Eur Spine J 2021

ように丸まり、「亀背（きはい）」という姿勢になってしまいます。背中が丸まるとひざを曲げて骨盤を後ろに傾けないとバランスが取れず、**長く立っていることができません。**杖（つえ）やシルバーカーなどの支えが必要になり、手を腰に回さないと歩けない人もいます。台所では流し台にひじをついて作業するようになり、**ひじが黒ずんでくる**こともあります（「キッチンエルボーサイン」という）。悪い姿勢は**慢性的な腰背部痛**の原因にもなります。さらに背中が丸まれば短時間しか立てず、**「首下がり症候群」**といって顔を前に向けて歩けなくなり、筋力がますます弱って寝たきりになる恐れもあります。

このような事態をさけるには、❶**背骨を骨折しない**、❷**骨折したとしても背骨の変形を極力小さくする**、❸**再度の骨折を防ぐ**、という3点が重要です。もし腰の痛みや身長の変化から圧迫骨折したのではと感じたら（22ジ（ペー）参照）、すぐに整形外科を受診しましょう。新鮮な圧迫骨折であるという診断が確定したら、**最初の2週間はできるかぎり患部の安静を保ち**、骨折部位をしっかりとくっつけ、コルセットなどで変形の進行を食い止めます。**痛みは3ヵ月ほどで改善**することが多いので、それを過ぎても痛みが強かったり長引いたりする場合は、外科的治療が必要になることもあります。

重要なのは、痛みが軽減したからといってそこで安心せず、骨折後にはなるべく早くから骨粗鬆症（こつそしょうしょう）の治療を積極的に始め、背骨の変形や将来の骨折を防ぐことです。

身長が4センチ縮んだ、肋骨と骨盤の間が指幅2本分以下しかないなら背骨の圧迫骨折の疑いが濃厚で脊椎外科を即受診

25歳のころの身長より今のほうが4センチ以上低い人は、すでに背骨の圧迫骨折（椎体(ついたい)骨折）を起こしている可能性があります。**背中や腰が曲がってきた人**、立ち上がるときや重い物を持つときに**背中や腰が痛む人**も同様です。姿勢の変化は自分では気づきにくいものですが、**壁にかかとをつけて立つと後頭部が壁につかず、つけようとすると背中やお尻(しり)が壁から離れる人**、**立った状態で肋骨(ろっこつ)と骨盤の間が指幅2本分以下しかない人**は、背骨が変形しており、圧迫骨折の疑いが濃厚です。すぐに脊椎(せきつい)を専門とする整形外科を受診しましょう。状況に応じて、骨折の癒合・変形予防をめざす治療や、骨粗鬆症(こつそしょうしょう)の治療を速やかに始めることが大切です。

こんな人は圧迫骨折の疑い大

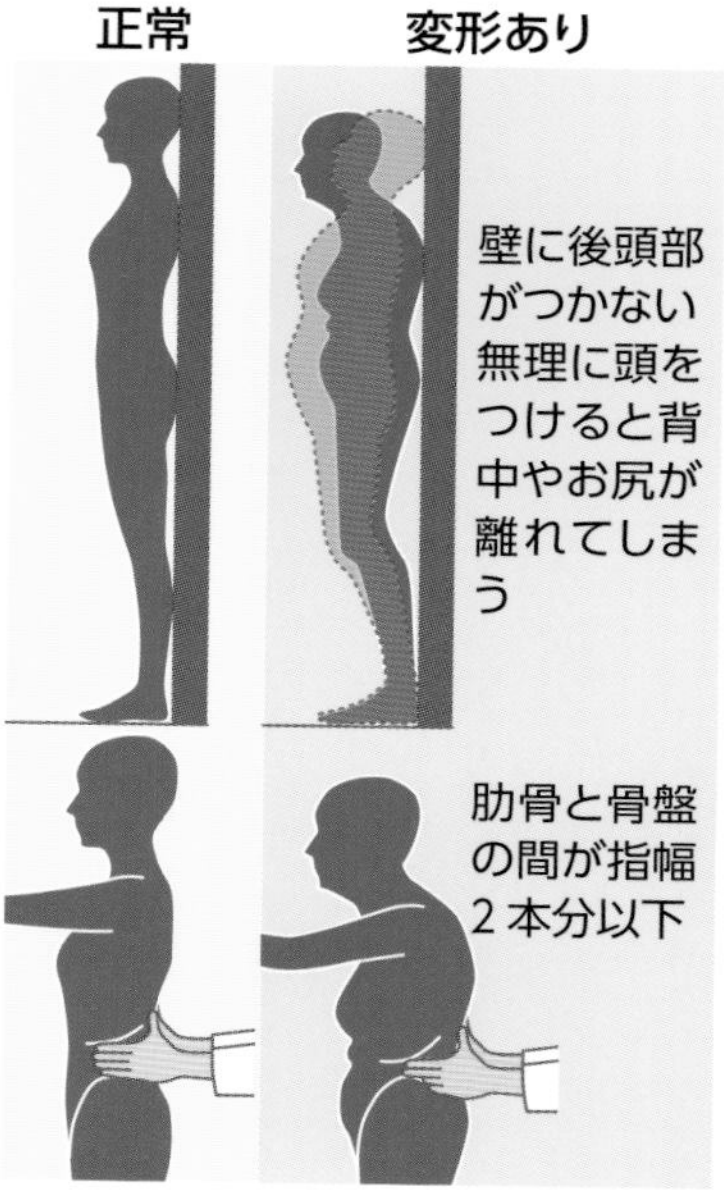

正常

変形あり

壁に後頭部がつかない 無理に頭をつけると背中やお尻が離れてしまう

肋骨と骨盤の間が指幅2本分以下

治療は骨粗鬆症薬に加えコルセット固定を3〜6カ月、その後に運動療法を行うのがよく、多くの人は半年たてば骨折箇所が癒合

骨が癒合する前の新鮮な圧迫骨折（椎体骨折）後の治療は次のように進みます。

❷急性期の2週間は安静を保つ

まず、**急性期（骨折した直後の痛みが強い時期）はできるだけ患部を動かさず、安静を保つことが推奨されています**。この時期に無理に動くと椎体の圧潰（背骨の前方がつぶれるように壊れること）が進行するからです。多少の痛みを我慢して動いたほうが早くよくなるといった考えは、この期間にかぎっては当てはまりません。また、下肢にしびれや痛み、足が動かない（マヒ）、排尿・排便障害などの症状が出たら、砕けた骨が神経を圧迫している疑いがあるので、手術を検討することもあります。

骨折後の約2週間は体を起こさず、できるかぎりベッドで過ごします[*]。起き上がるのは最低限とし、通院やトイレなどに限定します。場合によっては入院を検討してもいいでしょう。入院すれば、ベッドで安静にしながら、手足の筋力が衰えないよう運

＊Funayama et al, J Bone Joint Surg Am 2022

背骨の圧迫骨折の治療の流れ

圧迫骨折 → **2週間** → **3ヵ月** → **6ヵ月** → **1年**

2週間

骨粗鬆症の治療開始

痛みが強い2週間は安静を保つ
下肢にマヒが出たら手術を検討

3ヵ月

多くの場合、痛みが改善
強い痛みが続く場合は手術を検討

コルセット着用のうえ歩行訓練などの軽い運動で体力を維持

6ヵ月

骨折部の変形が落ち着けばコルセットを外す

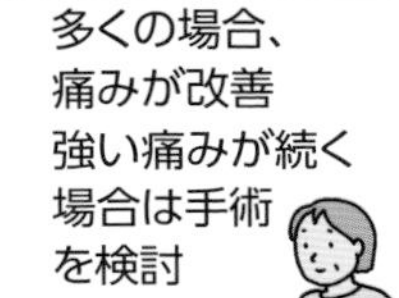

1年

骨粗鬆症改善・骨折予防の運動療法開始

骨が癒合せず、痛みがあれば手術を検討する

動訓練を受けることも可能です。

２週間を過ぎれば骨折部がある程度安定するので、そのころから少しずつリハビリを始めます。**装具（コルセット）で患部を固定**したうえで、運動能力を維持する目的で、**歩行訓練程度の軽い運動**をします。ただし、**背中や腰をねじったり曲げたりする運動は、骨折部がしっかりとくっついたことを確認してからでないと、症状を悪化させる恐れがあるのでさけましょう。**

❷骨粗鬆症の治療は骨折直後から始める

骨粗鬆症による骨折で注意を要するのは、続発骨折（骨折がくり返し起こること）です。しかも、**特に骨折した直後から1年間は再骨折を起こしやすい**とされています。再骨折のリスクを減らすために、骨折後は速やかに**骨粗鬆症の薬物療法を始める**ことが必要です。

❸装具（コルセット）療法について

骨折した部位は、**胸椎から腰椎（背骨の胸から腰の**

部分）までをカバーするコルセットで固定します。医師の処方により患者さんに合わせて作製されるのが一般的です。

コルセットには、大きく分けて**「硬性コルセット」**と**「軟性コルセット」**の２種類があります。硬性コルセットは硬いプラスチック製、軟性コルセットは縦方向の金属の支柱をメッシュ素材の布地などで覆ったようなタイプです。医療機関によっては、ギプスで患部を強固に固めることもあります。

これらのうちどのタイプの装具が一番いいのかは、今のところ専門家の間でもはっきり結論が出ていません。ただ、私たちが行った研究*では、圧迫骨折後、硬性コルセットを使用した患者さんのほうが、軟性コルセットを使用した患者さんよりも、装具を着けている期間では背骨の変形が少ないという結果が出ました。したがって、**変形や続発骨折を少しでも減らすためには、できれば硬性コルセットを着けたほうがいい**でしょう。ただ、硬性コルセットはガッチリしていて窮屈なので、肌に当たって痛い場合や、入浴などで外した後に自分でしっかり着ける自信がないといった場合は、軟性コルセットも検討します。

コルセットを装着する期間は医療機関によりバラツキがありま

コルセットの例

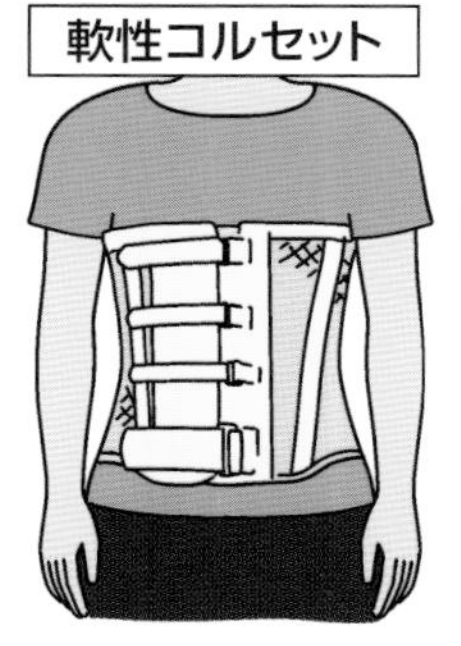

＊Kato and Inose et al, J Clin Med 2019

すが、私たちの研究では骨折部の圧潰の進行が止まるのは骨折後6ヵ月だったことから、**3～6ヵ月程度は装着を続ける**よう患者さんにすすめています。

❹3ヵ月で痛みが治まり半年たてば骨がくっつくが、痛みがあれば医師に相談

痛みは、多くの場合、骨折後3ヵ月までにはある程度改善します。[*1] 3ヵ月を過ぎても強い痛みが続く場合は、手術をすることで痛みを改善できる場合があります。

圧迫骨折後、患部を固定して安静を保つことで、多くの人は**半年たてば骨がくっつきます。**[*2] ところが中にはなかなか骨折部がくっつかないケースもあり、私たちの研究では、骨折後1年の段階でも骨癒合が得られていない（くっついていない）ケースが、約17・5％ありました。骨癒合がなくても痛みがなく、日常生活に支障がなければまず問題はありませんが、痛みがあれば、背骨を安定させる手術で痛みを改善できることがあります。痛みが続く人は、主治医に相談してみましょう。

❺コルセットが取れたら運動療法

コルセットが取れたら、**運動療法**を始めましょう。骨に刺激を与えることで骨密度を高めて骨粗鬆症を改善したり、筋力をつけて転倒やそれによる骨折を予防したりすることができます。具体的に運動を始める時期や、どのような運動がいいかは、主治医とよく相談してください。

＊1 Inose et al, Qial life Res 2021　＊2 Inose et al, Spine 2020

第10章

女性の5人に1人は一生の間に足のつけ根の「大腿骨近位部骨折」を経験し、最良の治療選択はこれ

転倒後やつまずき後に足のつけ根が痛み動けない、歩けないなら「大腿骨近位部骨折」が心配

50歳の女性が、残りの人生で足（太もも）のつけ根の骨折**「大腿骨近位部骨折」**（太ももの骨のうち股関節に近い部位の骨折）を経験する確率は20％であるという報告があります[*1]。足のつけ根骨折のほとんどは転倒したときに起こりますが、骨粗鬆症が進行すれば、**つまずいたり、足をひねったりする程度の軽い力で起こる**こともあります。最近は、寝たきりの骨粗鬆症の患者さんのおむつを交換するさいに、足を開く動きだけで足のつけ根が骨折する**「おむつ交換骨折」**も増えています。

足のつけ根を骨折すると歩行能力が衰え、ＱＯＬ（生活の質）が大きく低下します。これをさけるため、大腿骨近位部骨折では、全身状態[*2]に問題がある場合やもともと寝たきりだった人を除いては、**基本的に手術**を行います。

全身状態が悪かったり骨折部にズレがなかったりするケースでは、骨折のタイプ（骨の折れ方。26ページの図参照）によっては手術をせず保存療法（患部を固定して骨がく

＊1　Hagino et al, Osteoporos Int 2009
＊2　全身状態：表情、顔色、日常生活の活動度、意識状態、血圧などの指標や内臓の状態、持病などを総合して判断される生命の安定度。

っつくのを待つ）となることもありますが、地面に足を着いて歩けない期間が長くなるため、その間に歩行能力が落ちることはさけられません。

立った状態から転んだ程度の軽い衝撃で足のつけ根を骨折した人は、骨粗鬆症と診断されます。したがって、当然、**骨粗鬆症の薬物療法を始めるべき**です。

ところが、2006年～07年の調査では、足のつけ根骨折後の1年間に薬物療法を受けていた人の割合は、約20％しかないと報告されています。また、たとえ治療を始めても、継続する人が少ないという現状もあります。以前に足のつけ根を骨折したことのある人は、自分は骨粗鬆症であるという自覚を持って、骨密度が高まって骨折リスクが十分に軽減し、薬物療法を中止してもいいと主治医が判断するまでは、治療をしっかり継続してください。

歩行能力や生活の質、寿命に密接に関連し、脳卒中並みに危険なケガであるという意味で、足のつけ根骨折には「骨卒中（こつそっちゅう）」[*3]という別名があります。実際、日本で足のつけ根骨折の治療を受けた人のうち、約1割が1年後に死亡したとの報告[*4]があるほどです。

また、足のつけ根骨折の手術後の歩行能力の調査報告では、術後半年で骨折前のレベルまで歩行能力が回復した人は約半数でした。しかも、それ以降の調査でも歩行能

＊3 高齢者に生じた背骨の圧迫骨折（椎体骨折）も骨卒中に含まれる。
＊4 Sakamoto et al, J Orthop Sci 2006

力はそれほど回復していないことから、足のつけ根骨折は、**手術後の半年間で、歩行能力がほぼ決まってしまう**と考えられます。したがって、術後半年間はリハビリをしっかりと行い、筋力・歩行能力を改善する必要があります。

足のつけ根を骨折すると、不完全骨折（ヒビ）なら歩ける場合もありますが、ほとんどの場合、**痛みで歩けなくなります**。転倒した後に痛みはあるものの歩けるからといって、足のつけ根骨折がないとはいえません。

足のつけ根骨折は、適切な診断、手術、そして術後のリハビリが、後々の生活の質や、寿命にかかわってきます。骨折しているかどうかを判断するために、なるべく早く検査を受けるべきです。転倒して足のつけ根が痛む場合は、歩ける・歩けないにかかわらず、急いで整形外科を受診し、足のつけ根骨折かどうか、手術を受けるかどうかも含めてしっかり診断を受けましょう。

また、背骨の圧迫骨折（椎体骨折（ついたい））と同様、軽い衝撃で起こった足のつけ根骨折も、続けて骨折を起こしやすいことに注意が必要です。骨折直後から骨粗鬆症の治療を始め、骨折リスクが小さくなるまで継続することが、再び骨折しないために重要です。

本書を参考に、**骨量増加、体のバランスを取る能力の強化に効果的な体操や、適切な栄養補給**を行って、骨折の続発を予防していきましょう。

大腿骨近位部骨折で骨どうしのズレが大きければ手術が必要で、整形外科の受診が急務

足のつけ根骨折（大腿骨近位部骨折）には骨折部位や折れ方によってさまざまなタイプがありますが、ほとんどは大腿骨頸部で折れる**「大腿骨頸部骨折」**か、大腿骨転子部で折れる**「大腿骨転子部骨折」**に分類される骨折です（26ページ、次ページの図参照）。いずれも骨折部のズレが大きければ手術が必要なので、整形外科の受診が必要です。

大腿骨頸部骨折は「大腿骨頭」（大腿骨が骨盤にはまる球状の部分）のすぐ下のくびれ部分（大腿骨頸部）での骨折です。この部位は骨が癒合しにくい（くっつきにくい）ため原則として保存療法（患部を固定して骨がくっつくのを待つ）は行わず、手術となります。骨折した骨どうしのズレが少ないか、ズレが大きくても若い患者さんで骨の癒合が期待できる場合は骨接合術（１４６ページ参照）が行われることもありますが、ズレが大きければ、骨折部周囲を金属やセラミック、ポリエチレン製の人工関節に入れ換える**「人工関節置換術」**という手術が行われます（１５０ページ参照）。

大腿骨転子部骨折の「大腿骨転子部」は大腿骨頸部の下側、太ももの骨が体の外側

足のつけ根骨折の骨折タイプ

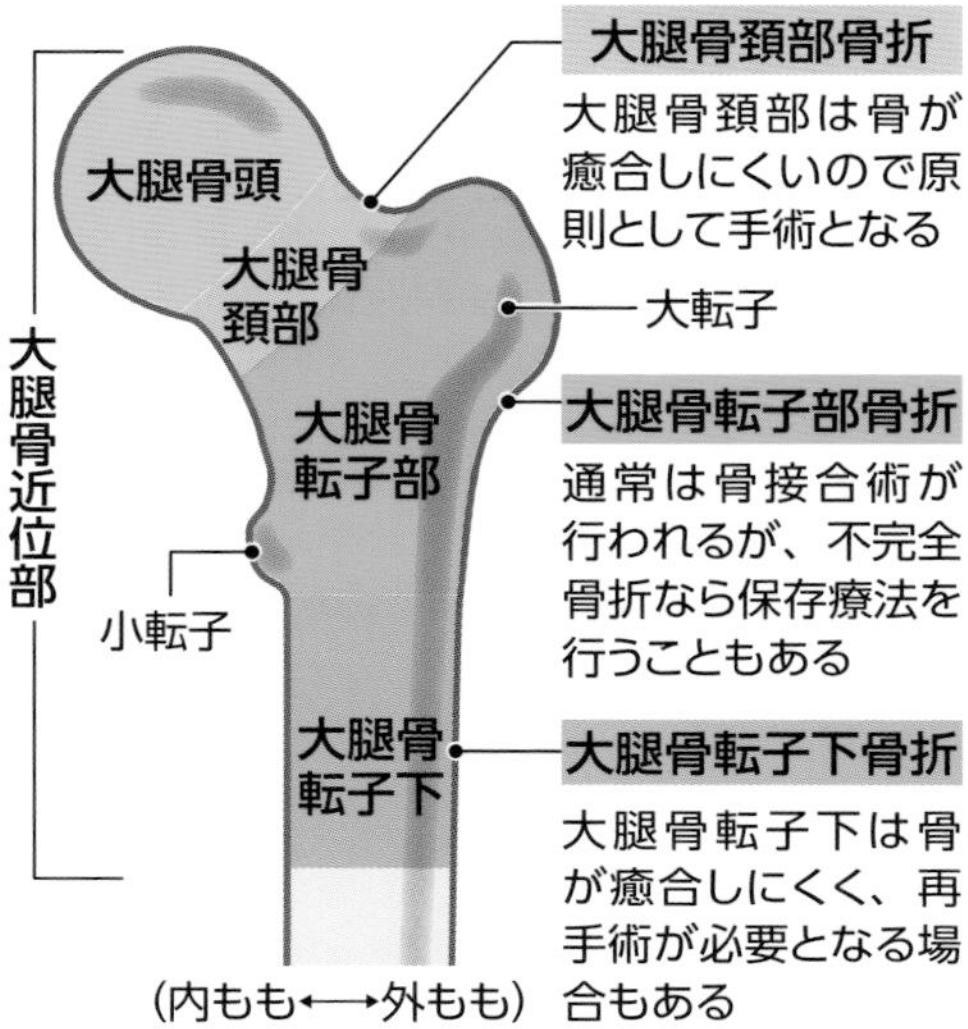

大腿骨頭
大腿骨頸部
大腿骨転子部
大腿骨転子下
大転子
小転子
大腿骨近位部
（内もも←→外もも）

大腿骨頸部骨折
大腿骨頸部は骨が癒合しにくいので原則として手術となる

大腿骨転子部骨折
通常は骨接合術が行われるが、不完全骨折なら保存療法を行うこともある

大腿骨転子下骨折
大腿骨転子下は骨が癒合しにくく、再手術が必要となる場合もある

に出っぱった大転子から、内もものほうに出っぱった小転子までの部分をいいます。この部分が折れる大腿骨転子部骨折は、通常は骨接合術が行われます。ただし、もともと歩けない患者さんの不完全骨折（ヒビ）で、車イス移乗時なども全介助状態で、足に体重をかけることがない場合は保存治療が行われることもあります。大腿骨の転子部は骨の再生能力が高いので、ほとんどの場合は骨がくっつきます。

　このほか、大腿骨転子下を骨折する**「大腿骨転子下骨折」**では、通常は骨接合術が行われます。大腿骨転子下骨折は大腿骨転子部骨折と比較すると骨癒合（ゆごう）が悪い（骨がくっつきにくい）という特徴があり、残念ながら一度の手術では骨がくっつかず、再手術が必要となることもあります。

　いずれの骨折タイプでも、手術後、骨折したほうの足に体重をかけるのを制限されることもありますが、痛みが我慢できる範囲内なら多くの場合は制限されません。歩く力を維持するためにも、主治医の指示に従って、許可された範囲内で足に体重をかけ、積極的に歩くようにしましょう。

第11章

大腿骨近位部骨折が起こると体力低下が深刻化しやすく、骨量不足を指摘されたら医大式「股関節ほぐし」を開始

大腿骨近位部骨折を防ぐには股関節自体の柔軟性と可動域を保つのが重要で、「6方向スイング」を毎日励行

太もものつけ根の骨の骨折（大腿骨近位部骨折）は転倒時に起こりやすいので、**まず転ばないことが大切**です。運動不足でいると関節が硬くなり、股関節の可動域が狭くなって転倒の危険性が高まります。例えば、歩行時に股関節が十分に屈曲できないと足が上がらず、つまずいて転倒しやすくなります。

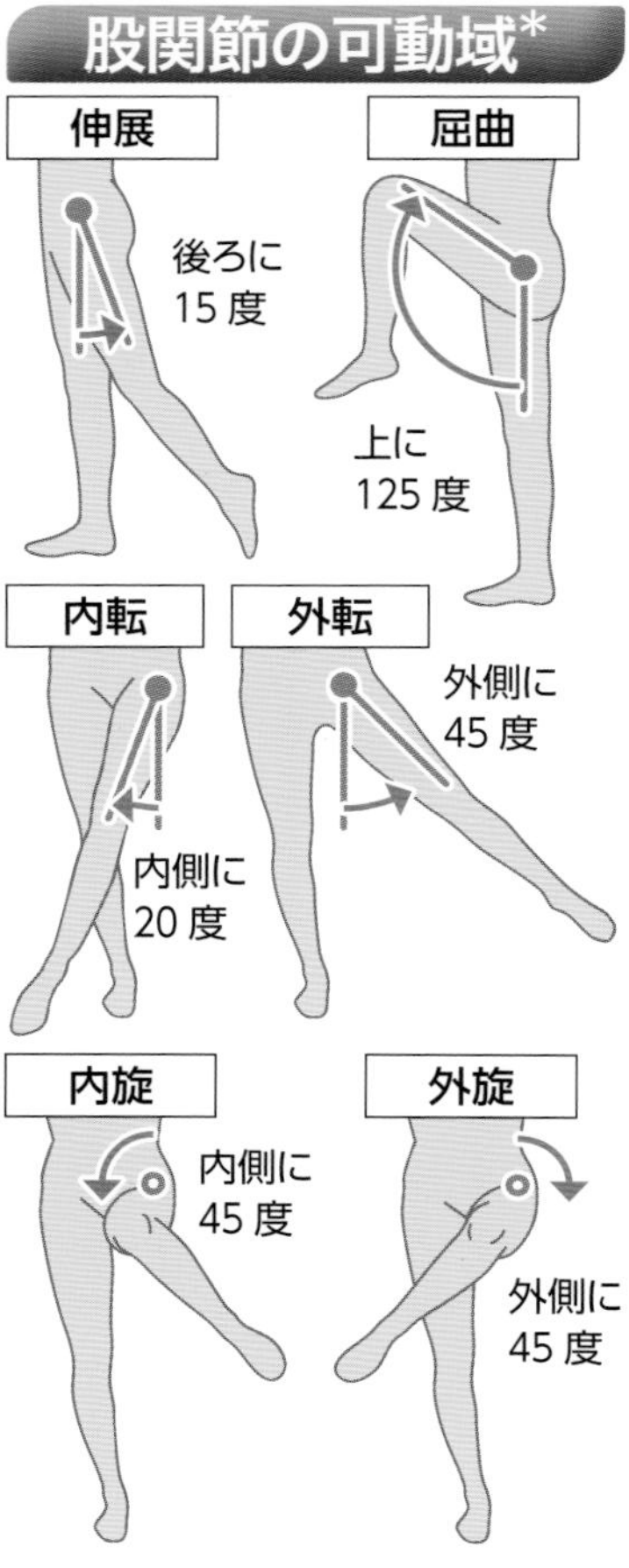

転倒を防ぎ、怖い大腿骨近位部骨折を予防するには、**股関節の柔軟性と可動域を保つ**ことが重要です。**「6方向スイング」**で、可動域の全方向に股関節が動くようにしておきましょう。

股関節の可動域*

＊可動域には個人差があり、角度は目安。

6方向スイング

1 壁や手すりなどで体を支えて立つ。両足は腰幅に開く。

2 息を止めないよう注意しながら、左足のひざをゆっくりと持ち上げる。３秒キープ。

ひざはできるだけ高く上げる

3 ひざを伸ばして左足を後ろへゆっくりと上げる。３秒キープ

上体をまっすぐに保つ

次ページへつづく

普段、意識して動かす機会の少ない股関節を６方向に大きく動かし、可動域を広げることで、太ももの骨のつけ根の骨折予防に役立ちます。

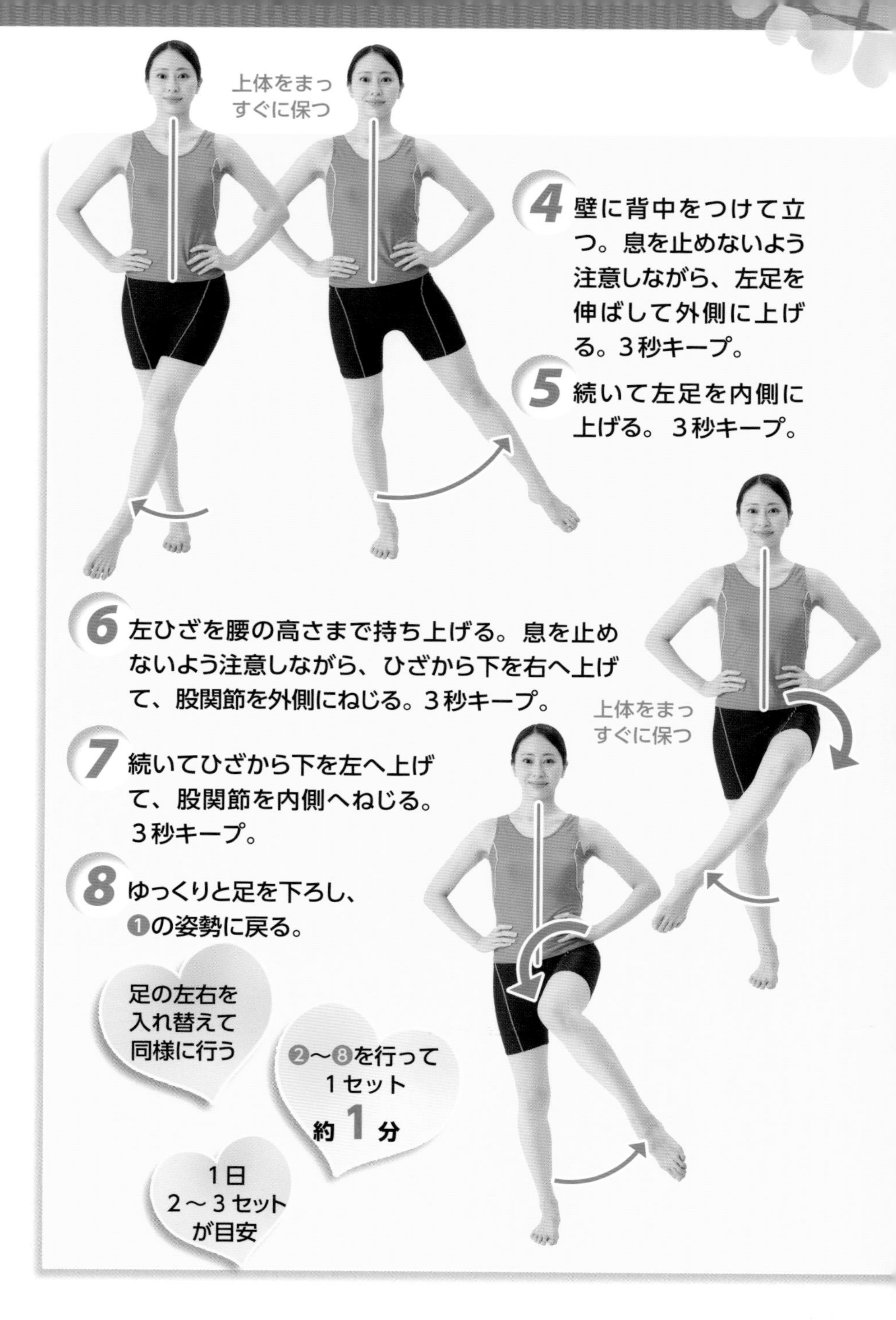
上体をまっ
すぐに保つ
4 壁に背中をつけて立つ。息を止めないよう注意しながら、左足を伸ばして外側に上げる。３秒キープ。
5 続いて左足を内側に上げる。３秒キープ。
6 左ひざを腰の高さまで持ち上げる。息を止めないよう注意しながら、ひざから下を右へ上げて、股関節を外側にねじる。３秒キープ。
上体をまっ
すぐに保つ
7 続いてひざから下を左へ上げて、股関節を内側へねじる。３秒キープ。
8 ゆっくりと足を下ろし、❶の姿勢に戻る。
足の左右を
入れ替えて
同様に行う
❷～❽を行って
１セット
約1分
１日
２～３セット
が目安

第11章

股関節周囲の筋力や柔軟性の向上に有効で手術後の転倒予防にも病院で指導する「ひざ立ち+両ひざ歩き」

大腿骨近位部骨折(だいたいこつきんいぶこっせつ)の手術後に、股関節(こかんせつ)周囲の筋肉を強化するためのリハビリとして病院で指導される**「ひざ立ち」**という姿勢があります。ひざ関節を直角に曲げ、上半身をまっすぐ立て、両腕をわきに垂らして立つ姿勢のことです。

通常の立つ姿勢では、ひざ下や足首の筋肉も使って体のバランスを取りますが、ひざ立ちではその影響が除かれ、**股関節周囲を特化して鍛えることができる**というメリットがあります。また、ひざ立ちの姿勢は、立つ姿勢よりも、背中やおなかの筋肉(脊柱起立筋(せきちゅうきりつきん)、腹直筋(ふくちょくきん))、お尻(しり)の筋肉(大殿筋(だいでんきん))、太ももの裏側の筋肉(半腱様筋(はんけんようきん))などの抗重力筋(96ページ参照)がよく働くという報告もあります。*

これに加えて、ひざ立ちの姿勢のまま両ひざを使って歩く**「両ひざ歩き」**をすれば、股関節周囲の筋力や柔軟性をさらに鍛えることができ、フラつきや転倒の心配なく歩く力が身につきます。

＊木下ら、総合リハ 2006

股関節を鍛える

ひざ立ち+両ひざ歩き

ひざ立ち

ひざ立ちを
行って１セット
約 **1** 分

1日
2～3セット
が目安

床にひざをつき、両足を腰幅に開いて、上体をまっすぐ伸ばす。1分キープ。

背すじを
伸ばす

両ひざ歩き

ひざ立ちの姿勢からひざを使って歩く。歩ける範囲を1分間往復する。

正面の一点
を見つめる

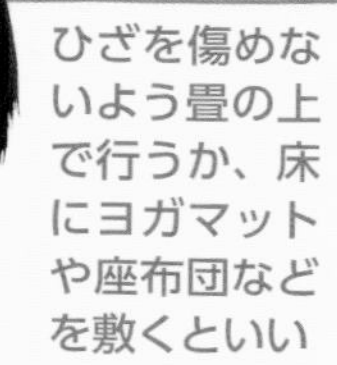

ひざを傷めないよう畳の上で行うか、床にヨガマットや座布団などを敷くといい

両ひざ歩きを
行って１セット
約 **1** 分

1日
2～3セット
が目安

正面の一点を見つめて歩くと、フラつきにくくなります。

ひざ痛のある人はひざを傷める恐れがあるので、事前に医師に相談しましょう。

「両ひざ歩き」パワーアップ

爪先を床から離し、ひざだけで歩く。

背すじを
伸ばす

転倒に注意しながら「T字バランス」も行えば転倒も骨折もしにくい強靭な股関節を獲得でき要注意ポイントはこれ

フィギュアスケートで、選手が片足を大きく後ろに上げて上体を前に倒し、体全体で「T」の字を作って滑る姿を見たことがあるでしょう。スケート靴の薄い刃だけでバランスを取りながら足を上げて滑るには、強靭（きょうじん）かつ柔軟な筋肉や関節が必要ですが、この姿勢でとりわけ重要なのは、軸足の股（こ）関節です。支えになる足の股関節周囲の筋肉がしっかりと股関節を安定させてこそ、「T」の字が作れるのです。

この姿勢を取り入れた**「T字バランス」**で、さらに強い股関節を作りましょう。フィギュアスケートとは違って、静止した状態で上体を両手で支えながら行うので、股関節周囲の筋肉をらくに鍛えることができます。軸足の下肢（かし）の筋肉全体で姿勢を保つ力や、足裏で重心のブレを察知してコントロールする力がつき、後ろに上げたほうの足を保つためお尻（しり）や太もも裏の筋肉も鍛えられ、転倒予防に役立ちます。安全のため、必ずしっかりしたイスの背や手すりなどで体を支えながら行いましょう。

股関節を鍛える

T字バランス

1 イスの背や手すりなどしっかりしたものにつかまって体を支え、おじぎをするように腰を 90 度曲げる。

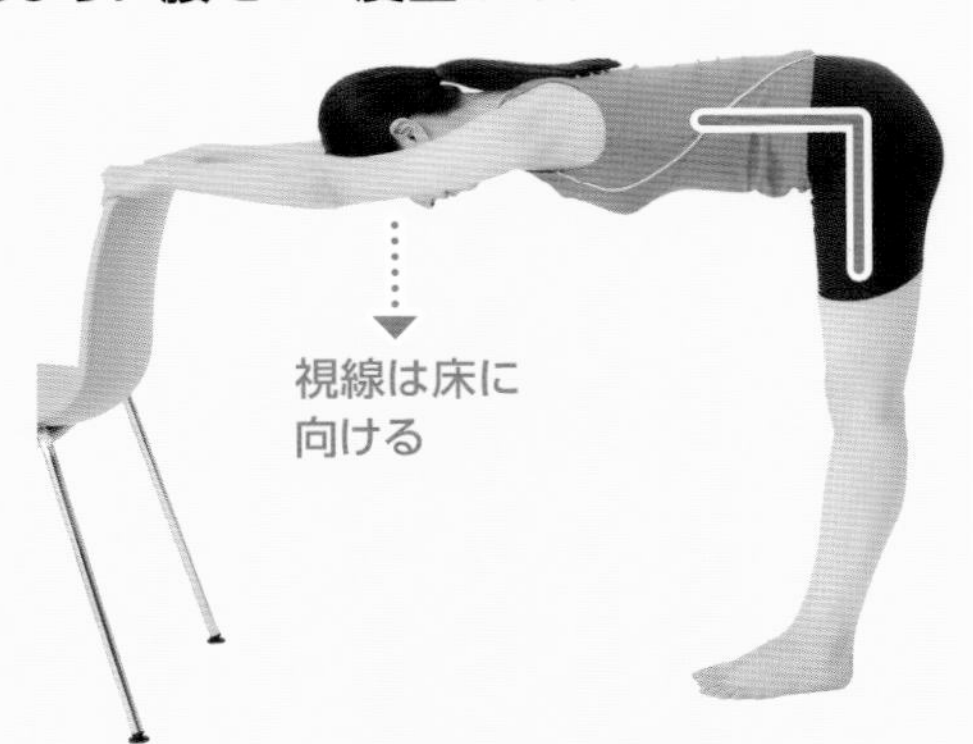

2 息を止めないよう注意しながら、左足を床と平行になるところまで上げる。10 秒キープ。

3 ゆっくりと足を下ろし、❶の姿勢に戻る。

無理をせず、できるところまで足を上げる

できるだけひざを伸ばす

足の左右を入れ替えて同様に行う

❷～❸を５回行って１セット

約 **1** 分

1日
2～3セット
が目安

両手でしっかりと体を支え、転倒しないよう十分に注意すること。

体全体でＴの字を作るのが理想ですが、最初は無理をせず、できるところまで足を上げるようにしましょう。

第12章

80代から骨密度が10%アップ！93歳まで圧迫骨折の再発なく姿勢よく歩ける！ねこ背・側弯・腰痛が一挙に改善！手術を回避などここまでよくなる症例集

症例報告

80代でいつのまにか骨折を起こしたが骨粗鬆症治療と運動療法で骨密度が10%アップ！93歳になるまで再発なく姿勢よく歩ける

細田美子さん（仮名・93歳）は、若いころから体力・気力・知力には自信があり、50歳からダンスとゴルフを始めて80歳ころまで続けていたという活発な女性です。

10年ほど前、両手にしびれと動かしにくさの症状が現れ、かかりつけ医に頸椎（背骨の首の部分）からきている疑いがあるといわれ、私の診療先を紹介されました。くわしい検査の結果、頸椎症性脊髄症（頸椎が変形し脊髄が障害される病気）と判明。頸椎の椎弓形成術[*1]を受けて、手の症状はすっかり治まり、以後は経過観察のため定期的に通院していました。あるとき骨粗鬆症の検査をしたら、**大腿骨の骨密度がYAM**[*2]**51%、同世代と比べても77%とかなり低下**していることがわかりました。そこで骨粗鬆症治療として、まず毎日の**骨吸収抑制薬の内服**を開始しました。

ところが、それからまもなくして腰痛が現れたため（X線）レントゲン検査をした結果、第3腰椎（背骨の腰の部分のうち上から3番めの骨）に圧迫骨折（椎体骨折）が

＊1 頸椎の椎弓（背面の骨）を開き、脊柱管を広げて脊髄への圧迫を除く手術。
＊2 若年成人平均値（YAM=Young Adult Mean）。20～44歳の健康な人の骨密度の平均値を100とする。

見つかりました。しかし、骨折は古いもので、すでに癒(ゆ)合(ごう)（くっつくこと）していました。いわゆる**「いつのまにか骨折」**でした。実は細田さんは、私の診療先を受診する以前に転倒し、腰痛で近くの整形外科にかかっていたそうです。そのときは骨折は見つからなかったのですが、おそらくレントゲン検査ではわからない程度の骨折があり、以後、徐々に変形が強まったために、あとになって腰痛が現れたものと考えられました。

細田さんのレントゲン（X線）画像

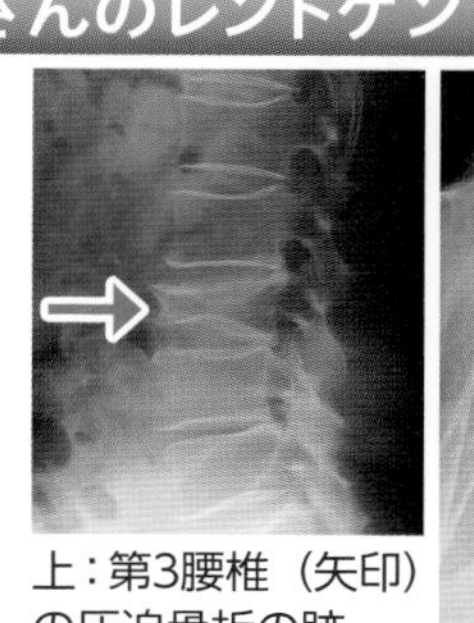

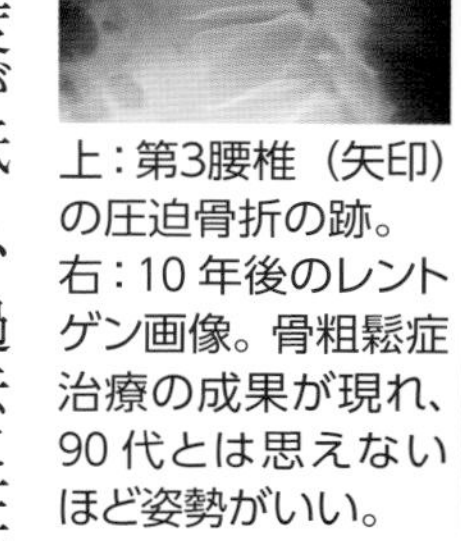

上：第3腰椎（矢印）の圧迫骨折の跡。
右：10年後のレントゲン画像。骨粗鬆症治療の成果が現れ、90代とは思えないほど姿勢がいい。

骨密度が低く、過去に圧迫骨折の経験があるとなると、**背骨の圧迫骨折が続発する恐れ**があります。そこで、骨粗鬆症の治療を強化し、半年に1回の**骨吸収抑制薬の注射**と毎日の**天然型ビタミンD薬の内服**をプラスして、**「骨強化ウォーク」**（58ページ参照）や**「らくらくスクワット」**（64ページ参照）などの運動療法も始めました。その結果、骨密度が順調に増え、**現在では大腿骨の骨密度はYAM61%、同世代と比べると105%に回復、ねこ背だった姿勢も改善**して**腰痛もなく、圧迫骨折も回避**できています。

細田さんはときどき通う**デイサービスで最年長で、かつ一番元気**とのこと。**93歳という年齢からは想像できないほど、姿勢よく軽快に歩くことができています。**

症例報告

側弯症から腰痛に悩み身長も縮んだが骨粗鬆症治療と体幹筋を鍛える運動療法でねこ背も側弯も腰痛も一挙に改善

斎藤和美(さいとうかずみ)さん(仮名・75歳)は、周囲から「いつも若々しくて元気ですね」といわれる明るい女性です。公務員として働いていたころから健康診断を定期的に受け、特に問題はありませんでしたが、63歳のとき「加齢による**側弯症**(そくわんしょう)の可能性」を指摘されました。側弯症は背骨が左右に曲がったりねじれたりする病気で、成人の場合、加齢によって椎間板(ついかんばん)(椎骨と椎骨をつなぐ軟骨組織)や椎骨が変形・変性することで起こります。もともと**ねこ背**ぎみでしたが、これといった不調もなく、姿勢を特に気にしたことはありませんでした。若いころ**150センチだった身長が145センチに縮んでいた**ものの、身長の縮みも背骨の曲がりも年を取ればそんなものかなと思い、ジムで軽い運動をする以外は特に対策もしませんでした。

そんな斎藤さんですが、自転車で転倒したことをきっかけに腰痛を訴え、私の診療先を訪れました。斎藤さんの場合、背骨の変形に伴って背中や腰の筋肉に強い負担が

運動療法による斎藤さんの姿勢変化

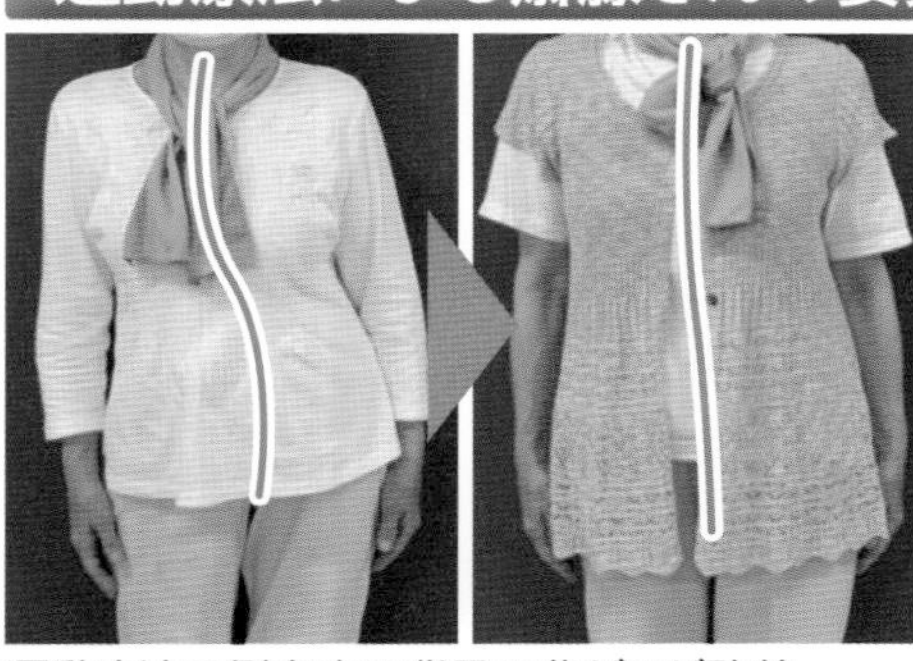

運動療法で側弯症の背骨の曲がりが改善。

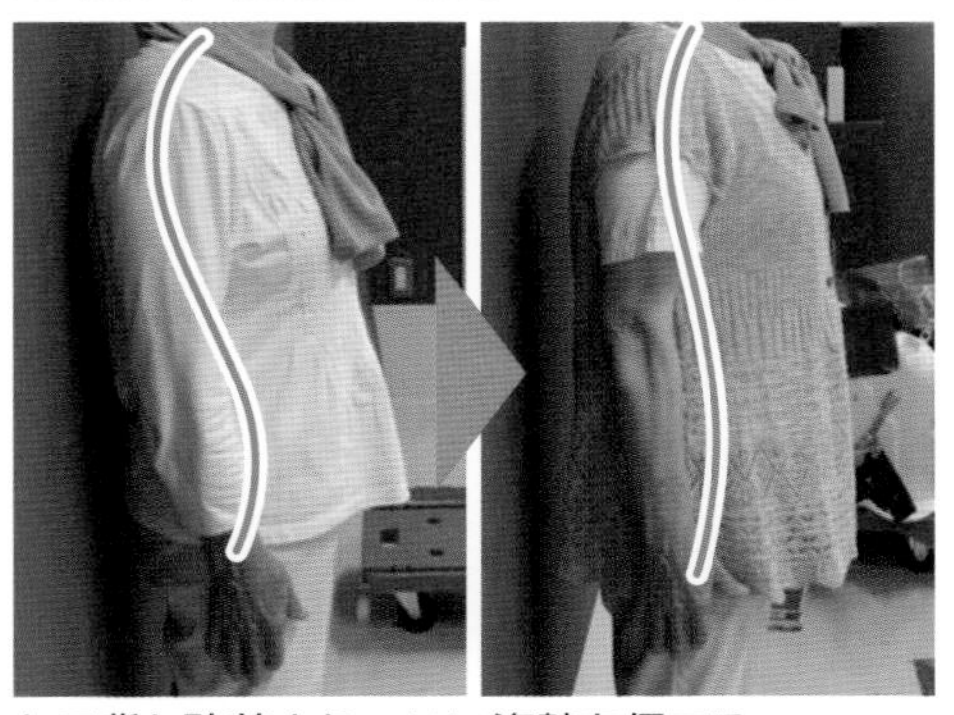

ねこ背も改善され、いい姿勢を保てる。

集中しているので、**ねこ背や側弯症を正さないと腰痛の根本的な改善は望めません**。しかも**大腿骨の骨密度がYAM**[*]**52%**に低下しており、このまま**骨粗鬆症**が進行し、さらに変形が進めば、将来、腰痛が強まったり、下肢のマヒなどの重い症状が現れたりする恐れもあります。もちろん、背骨の圧迫骨折を起こす可能性も高いものです。

そこで、骨密度改善のため、月1回の**骨吸収抑制薬の内服**を開始するとともに、理学療法士の指導のもと、体幹の筋肉を鍛えて姿勢を正す**「よつばい体操」**などの運動療法（第7章参照）も始めました。週1回の運動療法の指導を3ヵ月、その後も自宅で運動を続けた結果、**ねこ背や側弯は大幅に改善**し、これに伴って**腰痛も解消**して、**見違えるようないい姿勢**になりました。

5年後には腰椎と比較して増えにくい大腿骨の骨密度が**YAM58%**にまでアップ。友人や家族からも、以前よりいっそう元気になったと感心されているそうです。

＊若年成人平均値（YAM=Young Adult Mean）。20～44歳の健康な人の骨密度の平均値を100とする。

症例報告

背骨の3ヵ所で圧迫骨折を起こし骨密度も低かったが、骨粗鬆症治療と運動療法で曲がった背中と腰が伸び身長も2チセン高くなり手術を回避

和田芳美さん（仮名・85歳）は、ある日突然、腰痛に見舞われました。それから1ヵ月ほどようすを見ても痛みが治まらないため、近くの整形外科を受診。レントゲン（X線）検査をしたところ、第12胸椎（背骨の胸の部分の一番下の骨）と第2腰椎（背骨の腰の部分の上から2番めの骨）に圧迫骨折（椎体骨折）が起きていると診断され、私の診療先を紹介されました。

くわしく検査をすると、圧迫骨折を起こしているのは第12胸椎、第2腰椎だけではありませんでした。第1腰椎（背骨の腰の部分の一番上の骨）も圧迫骨折を起こしており、計3ヵ所も骨折していることが判明したのです。

骨密度の検査で、腰椎はYAM*77％、大腿骨で71％と低めで、このままではさらに圧迫骨折を起こし、背中も腰も著しく曲がってしまう危険性が高く、そうなれば手術をしなければならなくなる可能性もあります。そこで、硬性コルセットで胸から腰を

＊ 20 ～ 44歳の健康な人の骨密度の平均値を100とする。YAM=Young Adult Mean。

固定し、骨の癒合（くっつくこと）を待ちながら、月に1度の骨形成促進薬の注射で骨粗鬆症の治療を始めることになりました。骨を強めるために、**「骨強化ウォーク」**をしてなるべく歩くことも指導しました。

初診から2ヵ月後には腰痛が治まり、骨折した3ヵ所ともに骨がくっついて安定していることを確認できました。そこで和田さんは、背伸びをして胸椎や腰椎を広げる体操や、**「よつばい体操」**などの運動療法（第7章参照）で体幹を鍛え、姿勢を正すリハビリも始めました。

和田さんのレントゲン（X線）画像

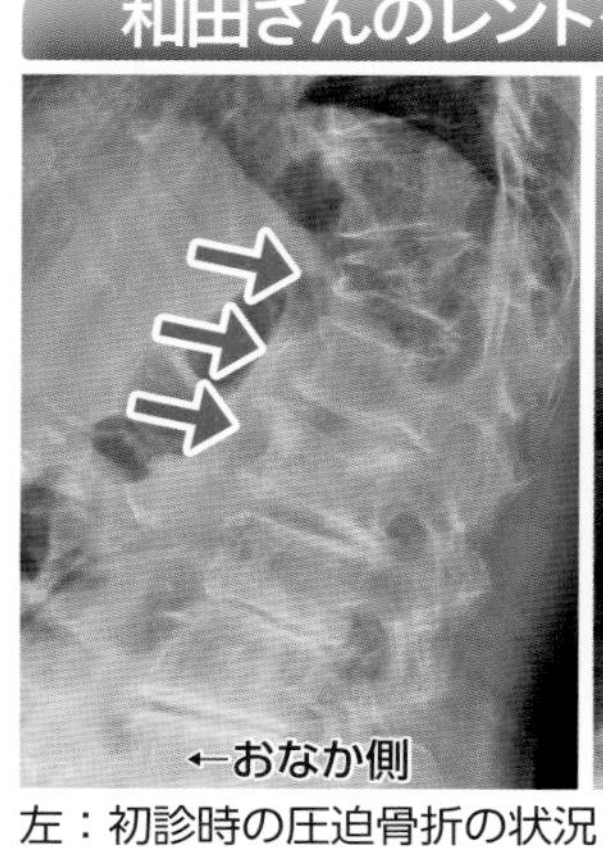

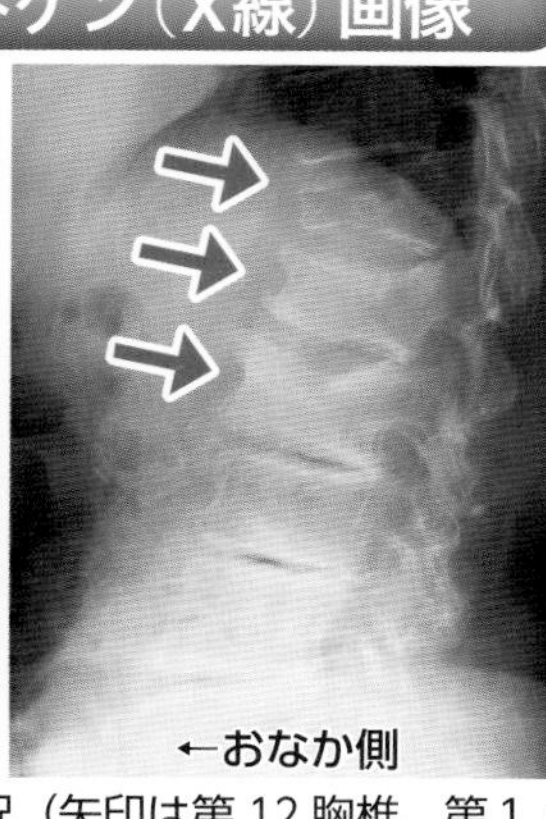

左：初診時の圧迫骨折の状況（矢印は第12胸椎、第1・第2腰椎）。右：2ヵ月後には骨の癒合が認められた。

和田さんは腰痛のせいもあってねこ背になっていましたが、体操をすると背骨が気持ちよく伸びる感覚があったそうで、実際、しだいに姿勢がよくなっていきました。また、運動療法を始めて4ヵ月になりますが、腰椎の骨密度は3％増加して、当初危惧された続発骨折も起こらず、**手術も回避**できています。

ねこ背ぎみだった背すじがきれいに伸びて、和田さんは「2チセンくらい背が高くなった」と運動の効果を実感しているそうです。

症例報告

前かがみ姿勢のクセで背中や腰が丸まり背骨の圧迫骨折が危ぶまれたが、運動療法を始めたら82歳にして背すじがピンと伸びた

間宮節子（まみやせつこ）さん（仮名・82歳）は、**腰部脊柱管狭窄症**（せきちゅうかんきょうさくしょう）（16ページ参照）で1回、**変形性膝関節症**（ひざ）*1 **で3回の手術歴**があります。手術をしたころから10年ほど骨吸収抑制薬を服用していたせいもあって、現在のところ腰椎（ようつい）（背骨の腰の部分）でYAM（ヤム）*2 88％と高い骨密度を維持しています。しかし、最近になって**背中が丸まって腰曲がりが目立つようになり**、私の診療先で姿勢を正す運動療法を始めました。

前かがみ姿勢では背骨の一部に負担が集中するため、腰背部痛を招くほか、骨密度が少し下がると背骨の圧迫骨折の危険が増すからです。**「胸椎胸郭（きょうついきょうかく）ストレッチ」**（第6章参照）や**「よつばい体操」**（第7章参照）で胸椎を伸ばし体幹の筋肉を鍛えた結果、運動開始から4ヵ月後には写真のように**背すじが伸び、前かがみ姿勢を正すことができました。**

運動療法による間宮さんの姿勢変化

運動療法で前かがみ姿勢が正され、背すじが伸びた。

＊1 ひざ関節が変形して痛みが生じる病気
＊2 20～44歳の健康な人の骨密度の平均値を100とする。YAM=Young Adult Mean。

第13章

ここまで進んだ！背骨の圧迫骨折・大腿骨近位部骨折の最新手術

背骨の圧迫骨折後に骨がつかない、偽関節ができた、背骨が不安定など「手術の受けどき」はこれ

背骨の圧迫骨折後に**下肢のマヒ**や、**尿や便が出ない**といった神経症状がある場合は、骨折した部位付近で＊脊髄・馬尾・神経根が圧迫されている（16ページ参照）疑いがあり、早急に手術が検討されます。ただし、圧迫骨折によって下肢のマヒが生じることはまれです。このほか骨折が椎体（背骨の前方部）から棘突起（背骨の後方の突起）のほうにまで及んでいるような重症例では、**背骨が極めて不安定**になるので、手術を受けたほうがいいでしょう。マヒがある場合や重症例を除けば、圧迫骨折の「手術の受けどき」の判断は、**骨折してから3ヵ月後の状態**が一つの目安になります。

私たちの調査では、圧迫骨折では多くの場合、骨折の3ヵ月後までに痛みと生活の質に改善が見られました。しかし3ヵ月後までに改善が見られない場合は、それ以上経過を見ても、それほど改善することはありませんでした。つまり、**圧迫骨折から3ヵ月がたってもなお強い痛みが続いている場合は、それ以降に痛みが自然に改善する**

＊脳から延びて背骨の中を通る中枢神経である脊髄は、腰部で馬尾という馬の尻尾に似た末梢神経の束になる。神経根は、脊髄や馬尾から左右に枝分かれする神経の根もとをいう。

偽関節の例

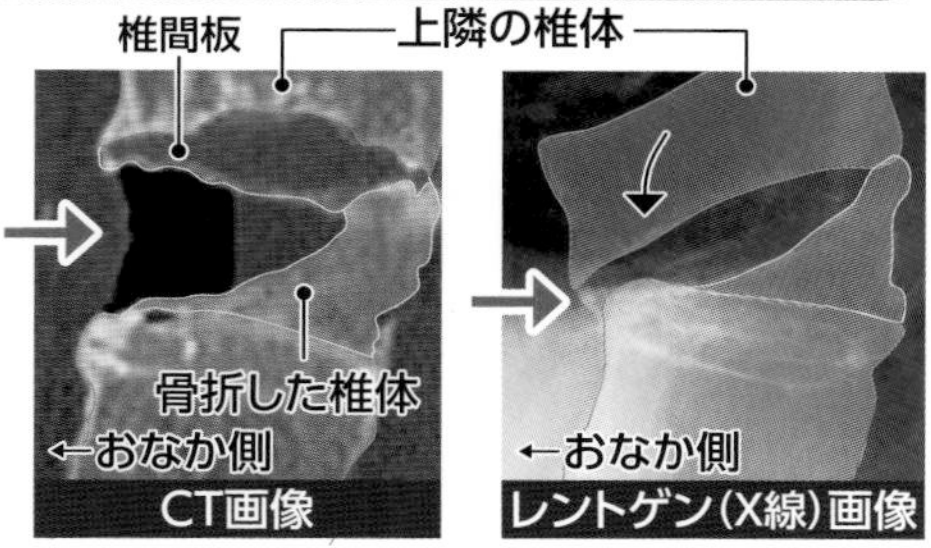

椎間板
上隣の椎体
骨折した椎体
←おなか側
CT画像
←おなか側
レントゲン（X線）画像

左：骨が癒合しないために生じた空洞にガスがたまり黒っぽく映っている。右：立ち上がると、空洞の部分がつぶれて折れた椎体が関節のように曲がってしまう。

ことはあまり期待できないと考えられます。

私は、**骨折から3ヵ月たっても痛みが強くて日常生活に支障がある**という患者さんに対しては、このまま様子を見ても痛みがよくなる可能性は低いので、手術も一つの選択肢であることを説明しています。ただし、手術をするかどうかの判断は、日常生活にどれほど不具合を感じるかにもよるため、個人差があります。痛みや生活の不便さが自分で耐えられる程度であれば、必ずしも手術を受けなければいけないわけではありません。逆に、高齢で、骨折後の痛みが強くて全く動けず、とても我慢できないという場合には、3ヵ月を待たずに手術を検討してもいいでしょう。

また、骨が癒合（ゆごう）（くっつくこと）せずに**「偽関節（ぎかんせつ）」**になると痛みが長期的に続き、生活の質が低下することがわかっています[*1]。偽関節は骨折の後遺症の一つで、骨折部で骨の癒合が進まず、本来動かないところがあたかも関節のように動くために痛みが生じるものです。最近では、画像検査で偽関節になる可能性が高いかどうかを予測することができます[*2]。なかなか骨がくっつかずに痛みが強く、画像検査で偽関節になる可能性が高いと判断できた場合は、3ヵ月を待たずに手術を考慮するのも一つの考えだと思います。

＊1 Inose et al, The Spine J 2023
＊2 Inose et al, Spine 2020

圧迫骨折でつぶれた背骨をバルーンで膨らませ骨セメントを詰めて治す椎体形成術「ＢＫＰ」

圧迫骨折の手術には大きく分けて「椎体形成術」と「固定術」（１４２ページ参照）があり、このうち椎体形成術は**つぶれた椎体内に骨セメント[*1]を注入して復元する手術**です。圧迫骨折で椎体形成術を行った場合と、骨セメントを注入せず保存療法を行った場合を比較すると、その後の痛みや生活の質の程度は変わらなかったという報告[*2]があります。したがって圧迫骨折をしたからといってすぐに椎体形成術を行うのではなく、**保存療法で効果がないか、効果が見込めない症例をよく見極めて手術を行うことが重要**です。手術をする場合、骨折してからどれくらいたっているかは問いませんが、すでに骨がくっついているとセメントを注入しても椎体を復元できないため、椎体形成術は行われません。椎体形成術にもさまざまな方法がありますが、現在、日本で主流となっているのは「ＢＫＰ」[*3]という手術です。骨折した椎体内に刺した針を通じて風船（バルーン）を挿入して膨らませ、できた空間（キャビティ）に骨セメントを充塡、骨折部を安定化させます。**全身麻酔下**で行われ、手術時間は約30分、背中の

＊1 アクリル樹脂でできた医療用の充塡剤。＊2 Buchbinder et al, N Engl J Med 2009
＊3 BKP=Balloon Kyphoplasty（バルーン・カイフォプラスティ）。風船による経皮的椎体形成術。

椎体形成術「BKP」

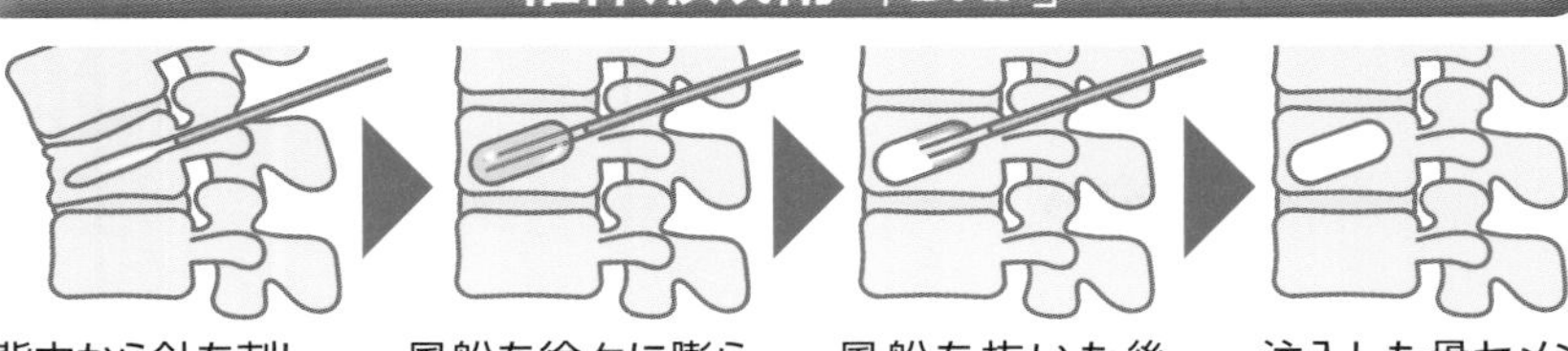

背中から針を刺し、骨折した椎体に風船のついた手術器具を入れる

風船を徐々に膨らませ、つぶれた椎体をできるかぎりもとの形に戻す

風船を抜いた後にできた空間（キャビティ）を骨セメントで満たす

注入した骨セメントは20分程度で固まる

左右を5ミリ程度切開するだけですみ、患者さんの体の負担が小さい方法です。**手術後は、当日または翌日には歩行が可能**となります。2021年からは、椎体内で風船を膨らませた空間の内側を金網（ステント）で補強する手術法**「VBS」**[*1]が健康保険の適用になりました。こちらもBKP同様によく行われるようになっています。

手術で椎体が安定すると、**大半の人は背骨の不安定さからくる腰や背中の痛みが劇的に解消します**。ただ、手術で骨セメントを注入した椎体は強度が高まることから、隣り合う椎体に負担がかかり、**椎体形成術後、約20％の確率で隣接する椎体に骨折が起こる**とされています。これを防ぐには、**手術後も骨粗鬆症の治療をきちんと継続し、骨強度を高め、リハビリで正しい体の動かし方を学ぶ**ことが重要です。

かつて椎体形成術では、局所麻酔下で椎体に針を刺し、バルーンを使わずに直接骨セメントを充填していました。しかし、骨セメントの血管への漏れ[*2]が少なく、より安全性が高いBKPが登場し、現在ではほとんど行われなくなりました。**局所麻酔下の椎体形成術は現時点**[*3]**では健康保険が効かず、自費診療となります。**

＊1　VBS=Vertebral Body Stenting（バーティブラル・ボディ・ステンティング）。椎体ステント留置術。
＊2　骨セメントが漏れて血管に入り、肺動脈がつまるなどの合併症が起こることがある。
＊3　2023年12月現在。

症例報告

腰椎の圧迫骨折がつかず不安定で痛みが強かったためBKP手術を決断。手術と術後の運動療法で経過が良好

60歳までデパートの食堂に勤めていた会田静子(あいだしずこ)さん（仮名・80歳）は、1日中立ち歩いてテキパキと仕事をこなしてきただけあって、年齢を感じさせない明るく元気な女性です。息子さんの家族と同居していますが、お嫁さんに甘えてはいられないと、身の回りのことはなんでも自分でやることをモットーとしていました。

それが、7年前のことです。キッチンでイスの上に立ち頭上の棚から物を出していたところ、下りるときにバランスをくずして転倒し尻(しり)もちをつきました。腰の痛みで動けなくなり、救急車で近くのクリニックに運ばれる事態となりました。

レントゲン（X線）検査をしたところ、第1腰椎(ようつい)（背骨の腰の部分の一番上の骨）の**圧迫骨折（椎体(ついたい)骨折）**が判明。鎮痛薬とコルセットを処方されて帰宅しましたが、痛みが治まらず、全く動けないので、改めて私の診療先に入院となりました。入院中は絶対安静として骨折部位の安定を待ちましたが、1ヵ月たっても**骨がくっつかず不**

安定なため、手術をすることになりました。**椎体形成術（BKP）**を行い、手術前の安静で低下した体力・筋力のリハビリのために、さらに1ヵ月の入院となりました。

若々しい人でも、特に女性は、自覚のないまま骨粗鬆症（こつそしょうしょう）になっていることがあります。会田さんの手術前の**腰椎の骨密度はYAM（ヤム）67%**＊でした。この骨密度ではわずかな衝撃で再び骨折する恐れがあるので、骨粗鬆症の治療を始めなければいけません。そこで会田さんは、1日1回の骨形成促進薬の注射を続けるかたわら、手術で痛みが取れたので**「骨強化ウォーク」**や**「らくらくスクワット」**などの運動療法も始め、カルシウムやたんぱく質が豊富な食事を心がけるなどの生活改善にも努めました。現在は骨吸収抑制薬1種類も服用しています。

会田さんは転倒に注意しながらも、骨折前と同様、体をよく動かしよく歩くこと、なんでも自分でやることを心がけているそうです。体を動かすことは骨にもいい影響を与え、骨密度は**YAM78%**に増えて、完全に自立した生活ができており、周囲からは「若い」「元気」「声が生き生きしている」とほめられているそうです。

会田さんのレントゲン（X線）画像

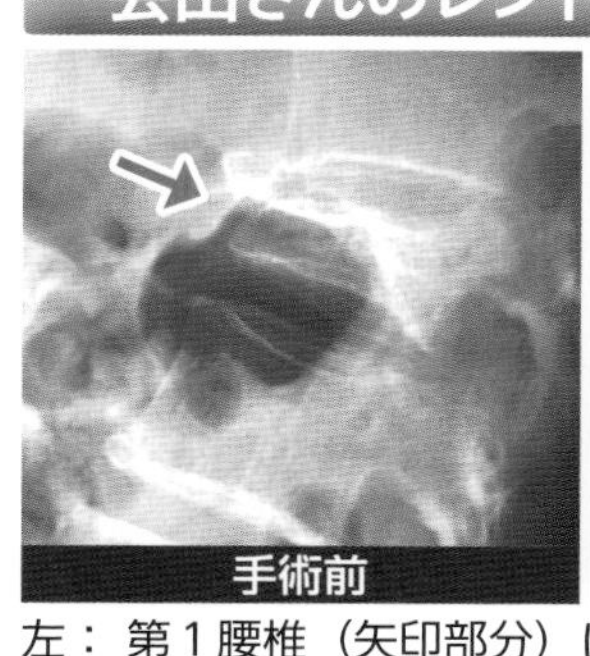

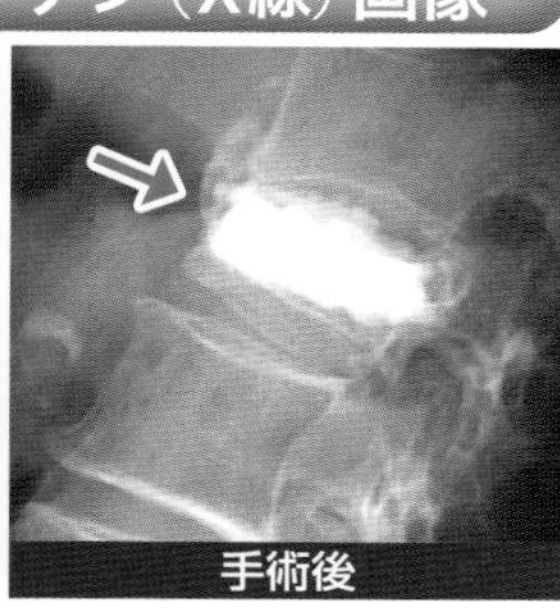

左：第1腰椎（矢印部分）に圧迫骨折が認められる。
右：椎体形成術（BKP）を行い、つぶれた椎体を復元。白っぽく見えているのが注入した骨セメント。

＊若年成人平均値（YAM=Young Adult Mean）。20～44歳の健康な人の骨密度の平均値を100とする。

背骨の圧迫骨折後に背骨が不安定になり痛みも強ければ固定術が行われるが、負担も大きいため慎重に適用

背骨の圧迫骨折（椎体骨折）で行われるもう一つの手術**「固定術」**は、金属製のスクリュー（ねじ）などで背骨を固定する方法です。骨折した骨片によって脊柱管が狭まり（16ページ参照）、下肢にマヒがあれば、骨を削って脊髄への圧迫を取り除く手術（除圧術）をしたうえで行いますが、マヒがなければ固定術だけ行われることもあります。

固定術にはさまざまな種類があり、スクリューで固定する**「後方固定術」**、椎体形成術（138ページ参照）と固定術を併用する方法、骨折した椎体そのものを金属でできた人工の椎体に置き換えたうえでスクリューで固定する**「椎体再建術」**もあります。骨折した背骨の周辺だけではなく、背骨全体の安定性を確保するために、ときには胸椎（背骨の胸の部分）から腸骨（腰骨）までを固定する**「脊椎再建術」**も行われます。

固定術の対象は背骨が特に不安定な人です。例えば椎体の圧潰*が強くて椎体形成術では背中の極端な曲がりが直せない場合や、不安定性が強くて椎骨に骨セメントを注

＊つぶれるように壊れること。

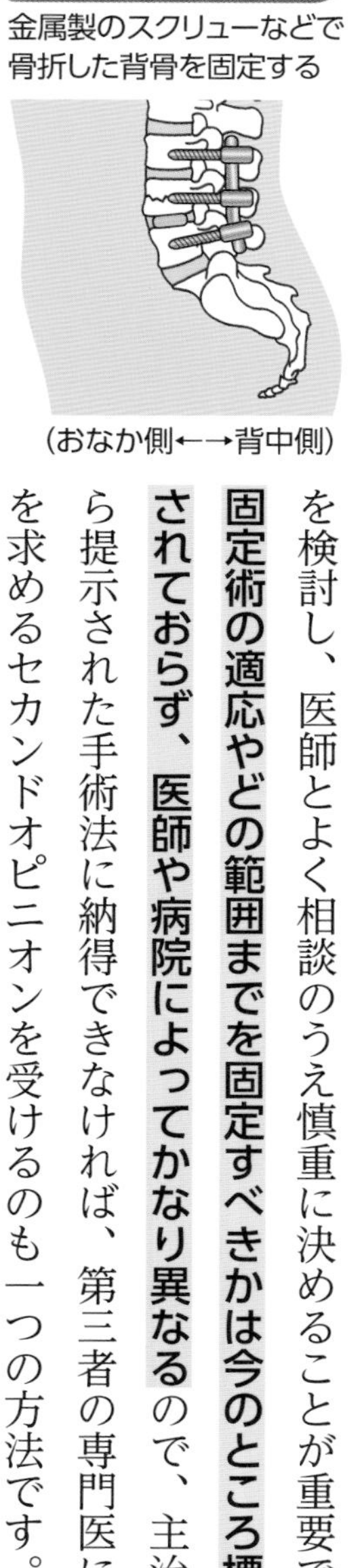

背骨の固定術

金属製のスクリューなどで
骨折した背骨を固定する

入しても骨セメントが移動してしまう恐れがある場合などに適応となります。固定術を行うと**固定した部位は動かなくなり、背骨がグラグラと動くことで生じていた痛みは改善します**。しかし、固定術は、椎体形成術だけを行う場合と比較すると**手術時間も長く、患者さんの体の負担が大きい手術**です。また、術後何年かたつと、手術した場所とは違う部位（多くは固定部の隣）で脊柱管に狭窄が生じて下肢のマヒや排尿・排便障害が起こることがあります。また、骨粗鬆症が進行して骨がスカスカになっていると、スクリューが抜けたり骨折が再度生じたりして、固定する範囲を延長しなければいけなくなることもあります。広い範囲の固定術を行った場合は、スクリューをつないで固定している金属製の棒が折れることもあります。

椎体形成術か固定術のどちらを行うのか、あるいはどこからどこまでを固定するかについては、重症度や年齢、患者さんの希望、骨粗鬆症の状態など、さまざまな要素を検討し、医師とよく相談のうえ慎重に決めることが重要です。**固定術の適応やどの範囲までを固定すべきかは今のところ標準化されておらず、医師や病院によってかなり異なる**ので、主治医から提示された手術法に納得できなければ、第三者の専門医に意見を求めるセカンドオピニオンを受けるのも一つの方法です。

症例報告

腰椎の圧迫骨折から腰曲がりが悪化。自立できず数メートルしか歩けなくなったが固定術で自力歩行ができるようになった

島春子(しまはるこ)さん（仮名・75歳）は、5年前に第1腰椎(ようつい)（背骨の腰の部分の一番上の骨）に圧迫骨折（椎体骨折(ついたいこっせつ)）が起こりました。骨がくっついた後、痛みは治まりましたが、年々腰が曲がってきて、最近では**まっすぐ立っていることができず、数メートルしか歩けません**。腰痛にも悩まされるようになり、私の診療先を受診しました。

骨はくっついており椎体形成術の適応はありませんが、椎体の変形が大きいため、3ヵ月入院して第1腰椎を人工の椎体に置き換え、第10胸椎から仙骨にかけての**背骨を固定**する脊椎(せきつい)再建術を行いました。その結果、**腰曲がりが解消して腰痛が改善、自力で歩けるように**なりました。

島さんのレントゲン（X線）画像

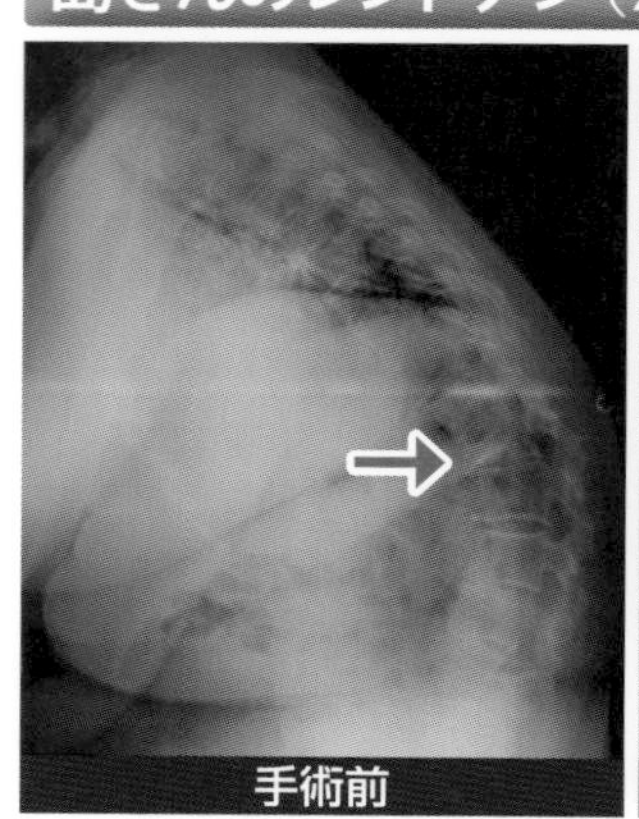

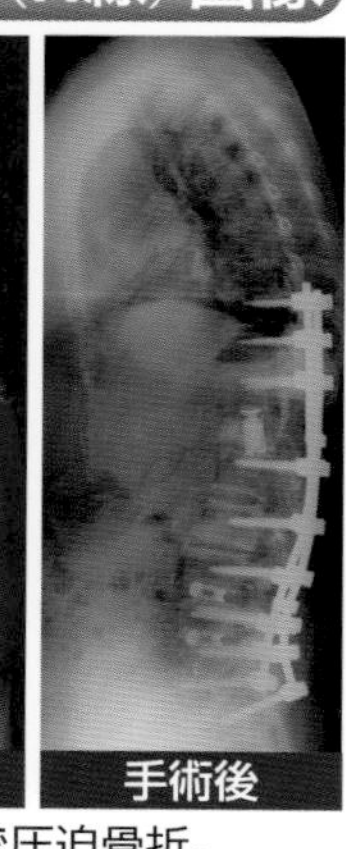

左：第1腰椎（矢印部分）で圧迫骨折。
右：第1腰椎に人工椎体、第4腰椎・第5腰椎・仙骨間にスペーサーを入れて固定する脊椎再建術を行い、自力歩行が可能に。

＊胸椎：背骨の胸の部分。仙骨：骨盤中央の骨。

症例報告

背骨の破裂骨折から脊柱管狭窄症になったが除圧と固定を同時に行う椎体再建術で痛みも下肢の脱力も解消

佐藤さんのレントゲン（X線）画像

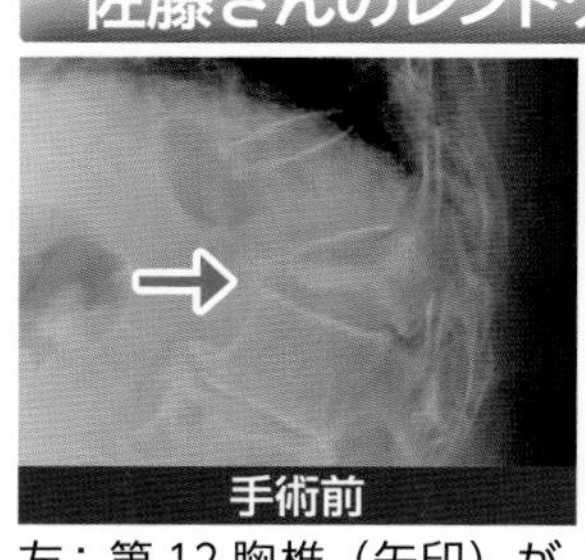

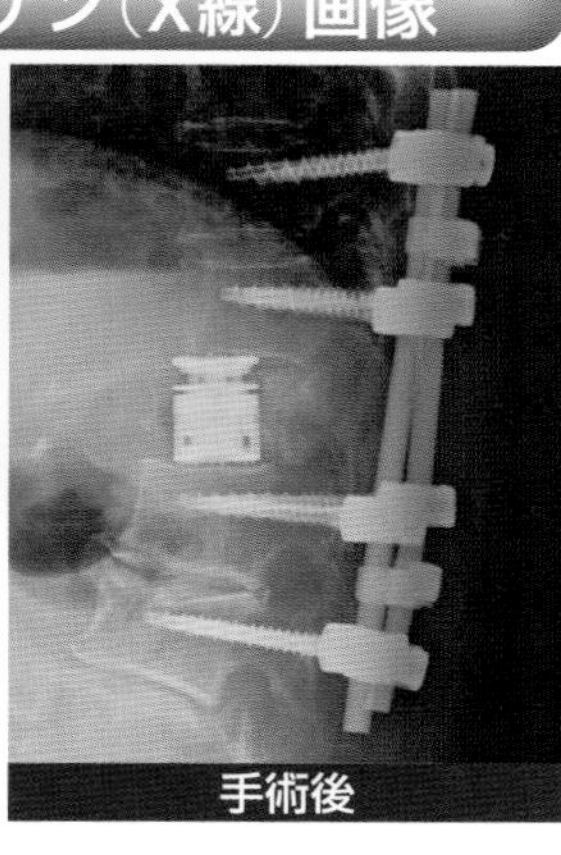

左：第12胸椎（矢印）が破裂骨折を起こしている。
右：除圧後に第12胸椎に人工椎体を入れて固定する椎体再建術を行った。

佐藤由子さん（仮名・77歳）は重い物を持ち上げた拍子に**腰と背中に強い痛み**を感じ、**その後まもなく右足に力が入らなくなり、うまく歩けなくなってきた**ため、私の診療先を訪れました。検査の結果、第12胸椎（背骨の胸の部分の一番下の骨）が**破裂骨折**を起こしていることが判明。割れた骨片が背中側の脊柱管を狭めて脊柱管狭窄症になり、下肢に症状が現れていたのです（16ページ参照）。

そこで、脊髄への圧迫を取り除く除圧術と第12胸椎に人工椎体を入れて固定する固定術を同時に行う「椎体再建術」を行いました。**手術後は腰背部痛と下肢の脱力も解消**し、3カ月で退院、日常生活に戻ることができました。

太もものつけ根の「大腿骨近位部骨折」のうち転子部骨折の場合は、ほとんどが骨接合術で骨が自然とつき再び歩ける

太もものつけ根の**「大腿骨近位部骨折」**のうち**「転子部」**（118ページの図参照）で骨折した場合は、全身状態*が許せば、再び歩けるよう歩行能力の獲得をめざして手術が行われます。

転子部の骨は外骨膜（豊富な血管や神経を含む膜組織）に覆われ、周囲は筋肉などに囲まれており、血流が豊富です。骨の形成に必要な酸素や栄養分が補給されやすいので、**骨折しても骨がくっつきやすい**という特徴があります。

そのため、大腿骨の骨頭部から頸部（118ページの図参照）を金属製やセラミック製の人工の骨に入れ換える「人工骨頭置換術」（150ページ参照）ではなく、骨折した骨どうしをつないで癒合（くっつくこと）を促す**「骨接合術」**という手術が行われるのが一般的です。具体的には、骨折してズレた骨を引っぱるなどしてできるだけもとの位置に戻し、金属製の器具で固定する手術です。

＊全身状態：表情、顔色、日常生活の活動度、意識状態、血圧などの指標や内臓の状態、持病などを総合して判断される生命の安定度。

大腿骨転子部骨折の骨接合術

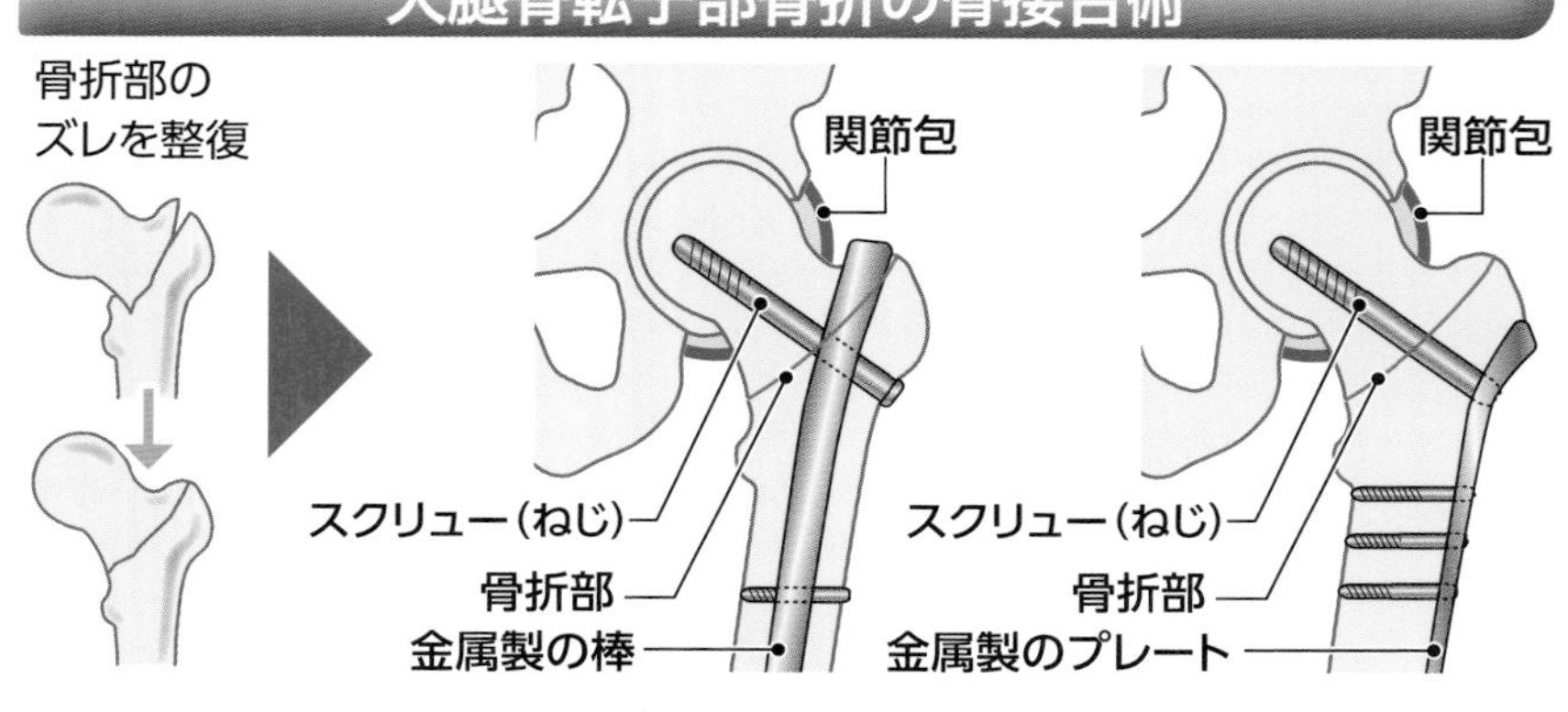

骨接合術にもさまざまな方法がありますが、太いスクリュー（ねじ）を大腿骨の外側から骨頭内に挿入し、これを大腿骨内に差し込んだ太い金属棒や、大腿骨の外側に当てたプレート（金属製の板）で支える手術が多く行われます。

手術の翌日くらいから、痛みが我慢できる範囲内で、骨折した足に体重をかけて歩いてもいいと指導されるのが一般的です。手術後に体を動かすことによって血流が促進され、骨の癒合が進み、筋力が回復します。そうすることで歩行能力の低下を防ぐことができるので、しっかりリハビリを行いましょう。どれくらい体重をかけていいか、荷重の程度などについては主治医に確認してください。

手術後、多くは3～6ヵ月程度で問題なく骨がくっつきます。ただし、ズレが大きかったり骨粗鬆症（こつそしょうしょう）が重症だったりしたケースでは、手術後に骨がズレたり、スクリューが骨頭から飛び出してしまったりすることもあり、その場合は再手術が必要になります。再手術の頻度は1～5％程度です。

症例報告

道路の横断中に転んで生じた大腿骨転子部骨折をスクリューでつなぐ骨接合術で治療したら骨がくっつき自力で歩けた

西田康代さん（仮名・79歳）は、道路を横断中につまずいて転倒、立ち上がろうとしてもその場から動けなくなり、救急車で私の診療先に運ばれてきました。

レントゲン（X線）検査の結果、右足の大腿骨転子部を骨折していました。そのまま2ヵ月入院し、大腿骨に太い金属棒を入れて補強し、骨折部をスクリュー（ねじ）でつなぐ骨接合術を行いました。

術後は骨が順調に癒合（くっつくこと）し、2ヵ月後には杖をつきながら自力で歩けるようになりました。西田さんは以前にも左足の大腿骨転子部を骨折し、骨接合術を受けています。これ以上の骨折を招かないよう骨粗鬆症の治療を進めています。

西田さんのレントゲン（X線）画像

手術前

手術後

左：右足の大腿骨転子部を骨折。右：大腿骨に太い金属棒を挿入し、骨折部をスクリュー（ねじ）で留める骨接合術を行った。

第13章

大腿骨頸部の骨折ならズレに応じて骨接合術や人工関節置換術が選択され歩行可能になる

「大腿骨近位部骨折」のうち、**「頸部」**（118ジの図参照）を骨折した場合も、全身状態が許せば手術が行われます。大腿骨頸部は股関節を包む股関節包という膜組織の内側にあり、転子部のように外骨膜（146ジ参照）に覆われていないため、**骨がくっつきにくい**という特徴があります。また、骨折部の骨のズレが大きく栄養動脈（骨に栄養を送り届ける動脈）が損傷している場合は、大腿骨頭（大腿骨が骨盤にはまる球状の部分）が**壊死**（骨の組織や細胞の局所的な死滅）してくることもあります。

したがって大腿骨頸部骨折では、骨折部のズレの大きさによって手術方法も異なります。ズレがないか少ない場合には、骨の癒合（くっつくこと）をめざして**「骨接合術」**（146ジ参照）を行います。しかし、ズレが大きく栄養動脈が損傷している恐れがある場合は骨の癒合は期待できず、「大腿骨頭壊死」を防ぐためにも、骨折部位周囲の骨を金属製やセラミック製の人工の骨に入れ換える**「人工関節置換術」**が行われます。また、骨のズレが少なく骨接合術を行った場合でも、まれに骨がくっつかず

大腿骨頸部骨折の手術

骨接合術

骨折した大腿骨頸部を
ボルトでつなぐ

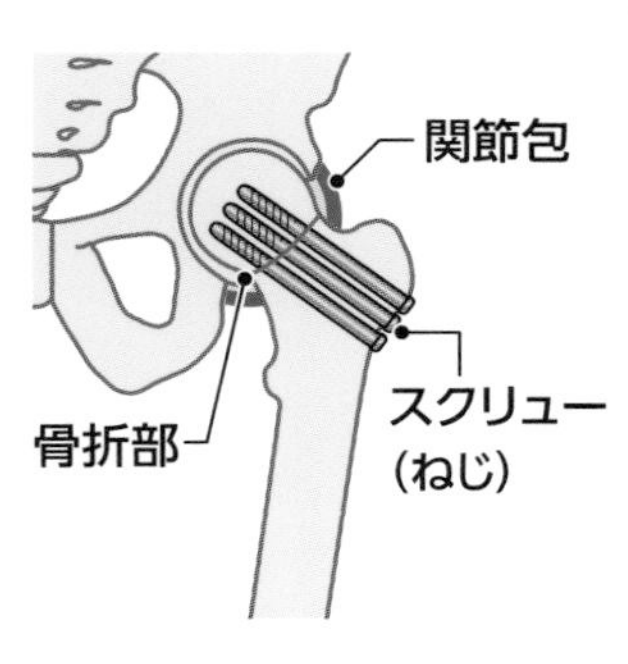

人工関節置換術

人工骨頭置換術

大腿骨側の骨頭だけを
入れ換える

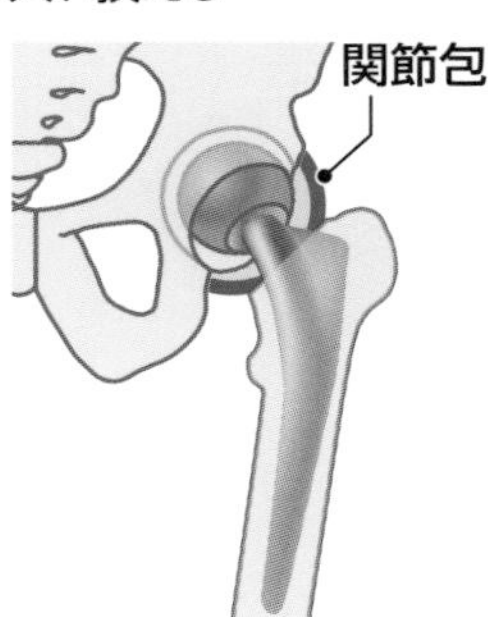

人工股関節置換術

骨頭と骨盤側の両方を
入れ換える

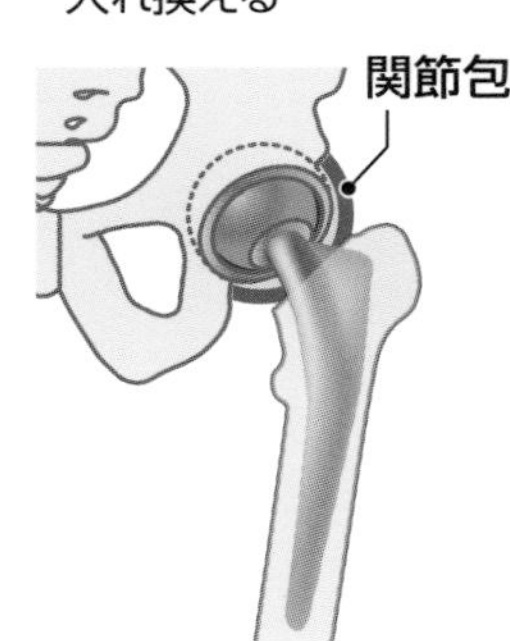

に大腿骨頭が壊死することがあり、そのさいは人工関節置換術を行います。一般に、大腿骨側のみを入れ換える**「人工骨頭置換術」**が行われることが多いですが、ケースによっては骨盤側も人工物に置換する**「人工股(こ)関節置換術」**が行われることもあります。

骨接合術ではまずありませんが、人工関節置換術の手術後、例えば深くしゃがんだり横座りしたりといった動作をしたときに、まれに股関節が脱臼(だっきゅう)（関節が外れること）することがあります。これを防ぐには、脱臼を予防するための日常動作についてリハビリでしっかり指導を受けることが大切です。現在使用されている**人工関節の耐用年数は、人工骨頭置換術は10〜15年、人工股関節置換術は20〜30年**と考えられています。ただし、長期間たつと挿入した人工関節がゆるんでくることがあるので、その場合は、新しい人工関節に交換する手術をします。人工関節置換術後は、定期的な経過観察が重要です。

おわりに

骨粗鬆症は整形外科の病気で患者数が最も多く、日本で一番多い整形外科手術も骨粗鬆症に起因する大腿骨近位部骨折の骨接合術です。骨粗鬆症による骨折は、つらい痛みをもたらします。治療によって骨折が治っても、筋力低下・痛み・変形が残り、生活の質が著しく低下することが少なくありません。骨粗鬆症は診断基準が明確で、効果の高い治療がすでにあるにもかかわらず、それ自体は痛みをきたさないため検査もされず、未治療のまま放置され、重症化して骨折が生じてから発見されることの多いのが最大の問題です。**女性は65歳、男性は70歳を過ぎたら骨密度検査を受けましょう**。治療が始まったら、**骨折の危険が落ち着いたと判断されるまで継続する**ことが肝心です。

骨粗鬆症で重要なことは、**❶薬物治療**、**❷栄養**、**❸運動**の3本柱です。一般に、薬と栄養に主眼が置かれがちですが、骨の健康維持には、運動によって適度な刺激を骨に与えることが必須です。本書では**骨粗鬆症の方が安全に行える「1分体操」のメニュー**を理学療法士の雨宮克也さんとともに紹介しました。「ゆっくりジョギング」「四股踏み」「縄なし縄跳び」などはどれも骨量を増やすのに適した運動ですが、負荷が強すぎると、かえって体を傷めてしまうことがないとはいいきれません。中には、背中や腰の曲がりが強くてうつぶせになれないという方もいるでしょう。

運動中の事故に注意しながら、ご自身の体の状態に合わせて、無理のない範囲で、自分にできそうな負荷の小さい体操から少しずつ始めてください。骨の健康が回復してくることが実感できるはずです。不安な方は、主治医に本書の体操が可能かどうか相談するのが安心でしょう。本書を読み、その内容を実践することで、80歳を超えても凛とした姿勢で毎日を楽しく健康に過ごせることを願っています。

獨協医科大学埼玉医療センター整形外科准教授
猪瀬弘之

著者紹介

猪瀬弘之（いのせ　ひろゆき）

獨協医科大学埼玉医療センター 整形外科 准教授

2000年東京医科歯科大学医学部医学科卒業、2010年東京医科歯科大学大学院医歯学総合研究科修了、2010～2011年米国コロンビア大学医学部博士研究員（遺伝・発生学教室）、2017年東京医科歯科大学大学院医歯学総合研究科整形外科学講師、2020年同整形外傷外科治療開発学寄付講座准教授、2023年より現職。

専門は脊椎脊髄外科、骨・軟骨代謝、特に後縦靱帯骨化症、骨粗鬆症性椎体骨折に対する外科的治療。

日本整形外科学会専門医、日本整形外科学会認定脊椎脊髄病医、日本脊椎脊髄病学会認定脊椎脊髄外科指導医、脊椎脊髄外科専門医、日本骨粗鬆症学会認定医。

日本脊椎脊髄病学会評議員、日本骨代謝学会評議員、日本骨粗鬆症学会評議員、日本脊椎インストゥルメンテーション学会評議員、日本骨・関節感染症学会評議員、米国骨代謝学会、North American Spine Society所属。

日本骨粗鬆症学会研究奨励賞、日本腰痛学会最優秀口演賞など受賞歴多数。

80歳の壁を超える
骨がみるみる強まる
骨粗鬆症の治し方大全

2024年2月14日　第1刷発行
2024年8月14日　第5刷発行

著　　者　猪瀬弘之
運動指導　理学療法士　日本スポーツ協会公認アスレティックトレーナー
　　　　　雨宮克也（獨協医科大学埼玉医療センターリハビリテーション科）
編 集 人　飯塚晃敏
編　　集　わかさ出版
編集協力　酒井祐次　瀧原淳子（マナ・コムレード）
装　　丁　下村成子
イラスト　前田達彦　マナ・コムレード
撮　　影　青木　章（fort）
モ デ ル　Alisa
発 行 人　山本周嗣
発 行 所　株式会社文響社
　　　　　〒105-0001　東京都港区虎ノ門2丁目2－5
　　　　　共同通信会館9階
　　　　　ホームページ　https://bunkyosha.com
　　　　　お問い合わせ　info@bunkyosha.com
印刷・製本　株式会社光邦

ISBN 978-4-86651-719-3